揚智文化 Popular Press

李天乙丁・潘音村著

和《盜墓筆記》一樣精采好看，
比恐怖電影還要驚悚刺激

活祭

Sacrificial
Offering

之7

屍王爭霸

湘西出土了轟動世界的寶物舍利子和玉玲瓏，
這兩樣寶物到底隱藏了什麼驚天秘密？
千年狐妖和神秘雪女又為何重現人間？
在一個神秘怪異的黑屋裡，任天行發現了三十四具乾屍文物，
誰知運往軍區後，乾屍在神秘簫聲召喚下，
竟然全部甦醒，成為瘋狂的殺人機器，一夜之間，軍區成了煉獄，三千多冤魂不散。
紅毛僵屍、五彩斑斕屍、五行人、吸血鬼、狐妖、雪女、巫蠱、降頭、術法、……
各種鬼怪都在湘西驚現，這裡儼然成為一個集聚恐怖、殺戮、未知的異度空間。
步步驚魂，層層殺機。伴隨著驚險刺激的場面，
九菊派組織的絕密陰謀——活祭計劃漸漸浮出水面……

通吃小墨墨【著】

【出版序】

看過《盜墓筆記》，一定要看《活祭》

死屍客棧鬼影幢幢，鳳凰古城殺機層層，神秘的湘西上演一齣齣鬼哭神嚎、天人交戰的恐怖劇。看過《盜墓筆記》，一定不能錯過融合考古、探險、懸疑、靈異的《活祭》！

獵奇是人類的天性，只要能滿足人類這種好奇天性的產品，就一定能火紅。書籍也是如此，盜墓文學在華文世界颳起超強旋風，就是很好的例子。盜墓小說中的優秀作品《盜墓筆記》、《鬼吹燈》、《守陵人》……等書，不斷製造新奇的鬼怪、驚險的歷程、勁爆的情節，不僅獲得大批喜歡神秘、驚悚元素的讀者青睞，旋風還吹向電影、電視等平台。

就在盜墓小說如火如荼延燒之時，一位打著「考古驚悚小說家」旗號的網路作家「通吃小墨墨」卻公開撰文批判，奚落那些以盜墓爲題材的小說內容庸俗至極，沒有任何文學價値，就連故事劇情都是邊編邊寫的，「就像芙蓉姐姐不知廉恥的天天擺出一身肥肉，強姦眾人眼球，成爲了眾人無所事事之時唾罵、發洩的對象。唾罵之後，漸漸的，就會風光不再」。

這篇文章火力四射，文字辛辣，極盡批鬥之能事，把一堆盜墓小說作家罵得比狗血淋頭還要慘，通吃小墨墨並且標榜自己是「盜墓小說的終結者」，將用驚悚鉅作《活祭》中的科學推理故事「截斷不入流的盜墓小說」。

通吃小墨墨不但揚言要「終結盜墓小說」，還大張旗鼓，公開向知名作家南派三叔嗆聲，調侃他寫的《盜墓筆記》是剛及格的小學生作文。接著，兩人不斷同台較勁，一時之間，《活祭》PK《盜墓筆記》的戲碼鬧得沸沸揚揚。

透過大罵南派三叔和《盜墓筆記》，果然使《活祭》迅速闖出名號，吸引大批讀者一觀究竟，銷售量迭創佳績，直逼《盜墓筆記》。

儘管有人認爲這種花招太庸俗，通吃小墨墨和南派三叔兩人唱雙簧，簡直把影藝圈炒作八卦新聞那套移植到圖書產業，不過，也有人認爲這種綜藝化的行銷手法相當高明，只要能捧紅真正具有才華的作家，又有什麼不可以？

通吃小墨墨是誰，竟然敢單槍匹馬拼鬥群雄，還不時把南派三叔當箭靶？

罵人是需要本錢的，不然只會讓人看笑話；想力戰群雄也需要高超的能耐，花拳繡腿是上不了檯面的。無疑的，通吃小墨墨具備了罵人與力戰群雄的本事，台灣讀者對他或許比較陌生，但在中國大陸，他可是實力派的超人氣網路作家，擅長寫考古驚悚小說。

通吃小墨墨，原名黃曉鋒，出生於美麗又神秘的廣西自治區柳州市，二〇〇六年開始在17K、新浪、搜狐等原創網站發表長篇小說《玲瓏血》、《第五種人》和《活祭》，一年之內文字發表量超過兩百萬字，形成了自己故事精彩、想像力奇譎和知識領域廣闊的寫作風格，受到網友瘋狂追捧。

通吃小墨墨雖然一再強調要截斷不入流的盜墓小說，但是《活祭》卻被定位為「後盜墓時代開山之作」，新書發表會也很特別，特地選在北京首家「黑暗餐廳」舉行。由他和南派三叔展開一場針鋒相對的記者會，兩大寫作高手就盜墓文學的火爆、靈異事件的真偽，以及《活祭》中談到的「湘西趕屍」等情節進行全面解讀。此後，兩人經常連袂接受媒體採訪，彼此之間的PK大戰也越演越烈，從記者會一路打到網路世界，目前兩人正在部落格進行接文生死鬥，由此可見南派三叔對通吃小墨墨的評價與力捧程度。

《活祭》的場景設定在神秘的湘西，各式各樣的殭屍則是不可或缺的配角，連西洋的吸血鬼都趕來湊熱鬧；內容講述湘西出土轟動世界的寶物舍利子和玉玲瓏之後，各種恐怖、匪夷所思的事情接踵而來。

在一個神秘怪異的「死屍客棧」裡，「刀鋒戰警」任天行發現了三十四具古代乾屍，誰知運往軍區後，乾屍在神秘簫聲召喚下，竟然全部甦醒，成爲瘋狂的殺人機器，一夜之間，軍區成了人間煉獄，三千多條冤魂含恨不散。

腥風血雨之中，暗藏著龐大的陰謀與錯綜複雜的勾鬥。紅毛殭屍、五彩斑斕屍、五行人、吸血鬼、狐妖、雪女……各種鬼怪都在湘西驚現，這裡儼然成爲一個集聚恐怖、殺戮、未知的異度空間。

一幕幕靈異事件，一幕幕道家法術決戰東洋邪術，伴隨著驚險刺激的場面，日本九菊派組織的絕密陰謀——活祭計劃漸漸浮出水面。舍利子和玉玲瓏這兩樣寶物到底隱藏了什麼驚天秘密？千年狐妖和神秘雪女又爲何重現人間？「活祭」又是怎樣讓人毛骨悚然的恐怖計劃？

看過南派三叔的《盜墓筆記》，一定不能錯過融合考古、探險、懸疑、靈異的超人氣驚悚小說巨作《活祭》！

因爲，通吃小墨墨是南派三叔力捧的新銳作家，《活祭》則被讚譽爲新一輪盜墓小說代表作。因爲，《活祭》是唯一能和《盜墓筆記》媲美的精采小說，新浪網、搜狐網、中華網、起點中文、17K、中國經濟網、騰訊網、中安在線……等數十家知名網站爭相連載推薦，單單新浪網讀書頻道，點閱率就直逼三百萬人次。實體書出版後，佳評如潮，氣勢如虹，不論魅力或銷售數字，都直逼《盜墓筆記》。

死屍客棧鬼影幢幢，鳳凰古城殺機層層，神秘的湘西上演一齣齣鬼哭神嚎、天人交戰的恐怖劇。《活祭》的劇情曲折離奇，而且恐怖詭異，懸念不斷，高潮迭起，讓人體驗到毛骨悚然、頭皮發麻的感覺。整部小說中西合璧，故事精采絕倫，懸念迭出，比電影還要驚悚刺激。

南派三叔爲何如此力捧通吃小墨墨？通吃小墨墨又如何描述這些驚悚事件，如何從科學角度解釋考古過程中出現的靈異事件？

想知道答案，就趕緊翻開《活祭》一窺究竟吧！

目錄

目錄

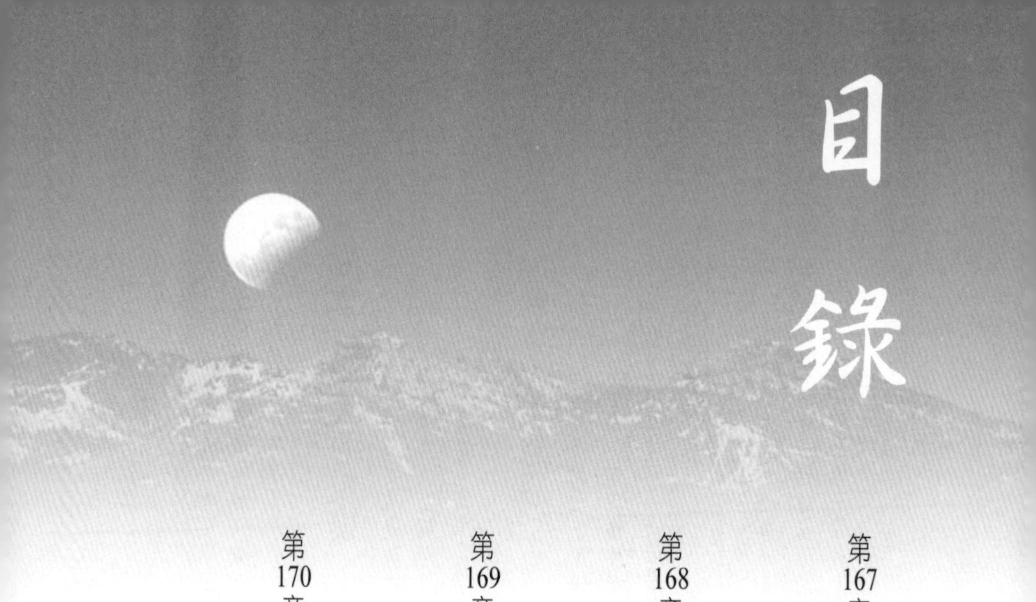

目錄

目錄

第 152 章

七竅破魂劍

「七竅破魂！」手中捧著的這把劍，就像是有靈性一樣，發出有如龍吟的聲音。長風握住劍柄的一剎那，全身的氣質變得凌厲無比，就像是從戰場的骨堆裡爬出來的不死將軍那樣，眼睛裡發出死寂的光芒。

「陰魔咒?!」長風全身一顫抖，突然間聞到了死神的那種氣息，那是來自地獄裡面牛頭馬面對他的呼喚。

他牙齒不停地打顫。因爲，他想起了在布達拉宮的藏經閣裡面，有一本書記載著上下五千年裡面最惡毒的邪門大法，「陰魔咒」排居第三。

一旦有人被下了這種詛咒，就會真正體驗到求生不得、求死不能的滋味，身子會從脖子以下到腳底，慢慢地腐爛，一塊一塊的肉會漸漸地離開自己的身體，你的眼睛，你的鼻子，甚至你的耳朵，都能清清楚楚地感覺到掉落的過程。

這是一種非常邪惡的詛咒，它不會讓你感覺到疼，也不會讓你感覺到酸，因爲來自靈魂深處的恐懼，完全替代了肉體的那種疼痛。

最要命的是，在身子沒有腐爛的時候，你完全沒有感受到你的變化，你可以去碰你心愛的女人，可以跟她浪漫地度過一個溫馨的晚上。

但是，用不了七天，這個跟你度過一晚的女人，就會變成乾屍，所有精血全部蒸發似地消失，留下一副皮囊和骨頭。

看著王婷婷一臉驚愕的樣子，完顏渡劫歎道：「先祖大智，也不能破解此咒，只能想方設法，不至於讓我們完顏一家絕後，然後再慢慢地破解。只是，我們雖然能傳宗接代，但是只能一代單傳，而且，完顏家的媳婦，完成傳宗接代的任務之後，就會被禍及其身，暴斃身亡。」

「完顏家族的後裔，一定不能跟傳宗接代的人有任何感情。不然，先祖的密法就會被破，這個惡毒的詛咒會提前實現，別說讓我們活到三十五歲，就連三十五天也沒有可能！」

長風和王婷婷相視了一眼，又看了一下太祖師婆，心裡不禁一陣難受。

原來，活佛交代自己不能對女人動情，剛剛父親要叫自己殺王婷婷，都是另有深意。只是，讓他不明白的是，父親爲何見到王婷婷會道家密法，會少林羅漢拳之後，就不再提起此事？

「要破解這個詛咒，只有一種方法，就是殺了施咒的人！」

「施咒的人？那豈不是已經老死了？」長風失聲問了一句，心裡猜測著父親說這話的意思。難道施咒的人沒有死，這樣算來，這個人豈不是活了千年以上，又或者是……殭屍！

想到活了千年以上的殭屍，長風雞皮疙瘩立即起來了，當時跟任天行兩人聯手，對付那個紅毛殭屍，差點沒丟了性命。

「哼，什麼叫『萬世陰魔咒』？這個『陰魔咒』被賦予了『萬世』之名，就是對我們一族下了萬世咒言，只要施咒的人沒有死，或者施咒人一脈還在世上，這個詛咒就會永遠存在。」

完顏渡劫沉沉說道：「『萬世陰魔咒』至今有效，表示施咒的人有可能還活著。如果他死了，他一定會有後代，咱們只要把他的後人殺了，這咒就解了。」

他眼光落在長風的身上，嚴肅地說道：「如果這個人沒死，那麼，以他的性情，一定不會安心修煉，他性情乖戾，修成正道是沒有可能的。這些年來，天下太平，並沒有聽到有妖魔作孽，估計他也沒有修成魔。看來，他多半像祖師婆婆一樣，被冰封在某個地方。又或者……」他停了一下，沉思了一下，才徐徐地說道，「又或者，他成了殭屍。」

長風臉色沉重，如果是前者，要殺了別人才能讓自己活著，以他的爲人，是下不了手的。而如果是後者，那更加辦不到，天下之大，到何處去找這個被冰封的人？要是他成了殭屍，以自己的這點皮毛本事，又怎麼能收服他呢？

知子莫若父，長風眉間一皺，他的父親就已經知道他在想什麼了，心裡又是高興又是擔憂。高興的是，自己的親生兒子承繼了他們完顏一族的那種大仁大義的精神，擔憂的也正是如此，一旦他下不了手，吃虧的便是自己。

出乎完顏渡劫意料的是，就連王婷婷也不屑於此，冷哼了一聲，說道：「如果對方的後人是作惡多端之人，殺上一千一萬個，眼也不必眨一下。但是，對方如果是個普通人，那怎麼辦？」

「妳當我完顏渡劫是那種貪生怕死之人嗎？」完顏渡劫喝了一生，沉沉說道，「他們跟我們一樣，絕對不會是普通人！我們一脈可以絕，但是，一旦我們絕了，這天下就會發生巨變，到時候，沒有人能阻止這場災難！」

「災難？」

「對，是場大災難！」完顏渡劫一甩手，兩個木牌飛入了他的手中，冷笑道，「木牌裡面禁錮的千年狐妖已經逃出，單單她一個人，當今天下，就已經沒有幾個人能制得住。」

這個自稱雪兒的千年狐妖，又被楊落雪叫爲魅姬，有著一身神乎其技的功夫，王婷婷親自見識過她的媚功，長風也吃過這個女人的苦頭。

他曾經用上了獨家密術「如來蘭花指」來對付這女人，這「如來蘭花指」是父親託活佛傳授給他的獨家功夫，但是這女人居然毫髮無損，而且讓他吃盡了能變成無數個人影的幻化奇術的苦頭。

「狐妖和雪女一旦相遇，遲早會有一場大戰，如果不阻止他們，我敢保證，這絕對稱得上千年來最精彩的一次表演。只有我們完顏世家的人才能阻止！」

長風想不到，這兩個女人居然跟他家族扯上關係，而他現在想知道的是，父親嘴裡說的他們到底是誰？這個對他們下詛咒的人，跟家族的先人有什麼樣的仇，讓他們下這麼惡毒的咒語？

完顏渡劫顯然因爲說了太多的話，導致臉色變得更灰白，不得不盤腿坐下，用手指了一下另一個墓室的入口，然後閉目養神，兩個木牌刷的一下，進入了祖師婆婆的衣袖中。

長風給了王婷婷一個眼色，兩人也盤腿坐下，用無上的咒法把靈力傳給長風的父親。完顏渡劫在兩人幫助下，逐漸地紅潤了起來，這個時候，居然微微地發出了一絲鼾睡的聲音。

看到這一幕，長風心裡一酸，差點沒掉下眼淚。想來父親自從別離了自己之後，就一直待在這裡，用最後的生命精華，試圖喚醒祖師婆婆。他看起來，不知道有多久沒能這麼安心地睡過一次覺了。

長風悄悄地拉著那丫頭去另一個墓室，不打擾他休息。進入那個墓室之後，墓室中間有一個方形的桌子，上面有一條黃色的布匹裹著一個長長的東西，小心翼翼地打開一看，一聲脆響，入眼的是一把古香古色的寶劍。

那寶劍上面刻有四個古篆：七竅破魂。

用力一拉，把劍從劍鞘裡拔了出來，雖然沒有越王勾踐劍出土的時候那麼大的殺氣，沒有像兵馬俑出土的那十九把青銅劍的那種耀眼寒氣，但是，抽劍的時候產生的如龍吟一般的輕微響聲，已經足以證明這把劍的寶貴。

最重要的是，那裹著這把寶劍的黃色布匹，上面赫然寫了一行字：**寶劍七竅，千里能破魂，世家完顏，見劍如見人！**

落筆寫者：「完顏無忌」！

「不孝孫完顏長風，見過祖師！」長風猛地一下就跪了下來。這把劍居然是先祖完顏無忌的佩劍。

「七竅破魂！七竅破魂！」手中捧著的這把劍，就像是有靈性一樣，發出有如龍吟的聲音，吱吱的電流爆裂聲居然在劍身上炸開了一朵朵小小的金花。

它沒有龍泉那種逼人的冷光，也沒有破邪和越王勾踐劍的那種霸氣，更沒有軒轅夏禹劍的那種聖道之光，沒有湛濾寶劍的寬厚和慈祥。但是，它骨子裡凝聚的那種冷漠、怨恨卻讓長風很明顯地感受到了！

長風握住劍柄的一剎那，全身的氣質變得凌厲無比，就像是從戰場的骨堆裡爬出來的不死將軍那樣，眼睛裡發出死寂的光芒。

王婷婷不禁後退了幾步，失聲低叫了一聲，她捂住嘴，瞪大了她的雙眼看著長風，只是短短的一秒鐘，居然能讓一個人的氣質完全改變。等她回過神來的時候，心裡暗暗叫了一聲：不好！

因爲她明白，長風的變化一定是因爲手中的這把劍，她迅速地朝長風的手腕踢出了一腿，腳尖和劍柄相撞，劍脫手而出，「吱」的一聲，一道火花在牆壁上閃過，一條深深的劍痕赫然而出，劍掉在地上。長風和王婷婷兩人，第一次感到了死亡的氣息圍繞在他們周圍，額頭漸漸冒出了汗。

長風胸脯起伏，眼睛盯著那把劍看，最後顫顫地說了一聲：「邪氣！」

是邪氣，不僅僅邪，還邪得厲害！以長風這二十多年的修爲，居然差點被它控制，又怎麼能不邪呢？

在自己的族譜裡面記載著，完顏世家最傑出的修行者完顏無忌，參悟天道，悟出了如來蘭花指和如來般若咒這兩樣絕世的功法，沒想到，就連他的佩劍，也顯得這樣的霸道！

王婷婷見長風還想再碰那把劍，一把抓住他的袖子，大喊一聲：「別碰它！」長風微笑地說道：「放心，既然是我完顏家的東西，它又怎麼會害我呢？」說罷，臉色一凝，嘴裡喃喃地念著咒法。

這一次，他沒有直接地去抓劍柄，而是站在這把七竅破魂古劍前面，不停地做出各種不同的手印。

王婷婷聽古晶說過，中國道家和佛家一共有二千三百多種符咒，七百多種手印，相當豐富和神秘，一般修行者，包括和尚和道士，一生之中能領略到其中幾個咒法的要領，已經算是非常出色了。古晶身爲茅山派唯一正宗的後裔弟子，也只領悟了不到三十個咒法和手印。

但是，這一刻，長風層出不窮的手印和用手指不斷地凌空畫出的咒法，讓她目不暇給。

「劈啪！劈啪！」

古劍隱隱地發出了爆裂的聲音，混合著低沉的龍吟聲，在這間墓室裡不斷地迴溢，讓王婷婷全身發顫。

「吱」的一聲長嘯，掉在地上的古劍漸漸地浮了起來，圍繞著長風的身子不停地盤旋，速度越來越快，形成了一個劍影，最後呼嘯著衝上了上空，然後緩緩地落了下來，整個劍身被黑色的光影給籠罩住，落在了長風的手上。

「鏘」的一聲，長風手握古劍，橫劍而出，對著離他有幾米遠的牆壁不斷地舞動著，牆壁隨著劍尖的舞動，閃出一道道火花，「七竅破魂」四個大字凌空刻在牆壁上。

當完顏渡劫睜開了雙眼的時候，驚愕了一陣，然後大笑道：「好，好，七竅破魂劍居然認你，好！」

「父親，這上古寶劍，有什麼來歷？」

「它的來歷？哈哈哈，說實話，我也不知道，你爺爺不知道，你太爺爺也不知道。這把劍一百多年前曾經甦醒過一次，後來就一直沉睡著，我們這幾代，都沒有人能駕馭它。」完顏渡劫一臉興奮，看到自己的兒子能使用這把劍，心裡又是高興又是得意。能讓古劍認主，長風又多了幾分把握。

「有了這把劍，你就能找到對我們下咒的那個人，它會告訴你怎麼做。」

王婷婷非常好奇，她知道完顏渡劫一定知道這個人的身份，追問道：「那個人，到底是誰？」

「任無名！」完顏渡劫嘴裡冷冷地擠出了三個字。

第153章

兩件小事

韋嘯天離開那個鬼地方之後，突然間兩腿一軟，摔在了地上，趴著不停地嘔吐，臉色蒼白如紙，良久良久，喉嚨裡咯咯地吐出了一句話：「他到底是什麼東西？」

佛教把眾生依境界之不同而區分爲「十界」，即佛、菩薩、聲聞、圓覺、天、阿修羅、人、畜生、餓鬼與地獄。

前四種爲聖道，不輪迴，而後六種稱爲六道眾生。這六道的眾生都是屬於迷的境界，不能脫離生死，這一世生在這一道，下一世又生在那一道，總是在六道裡頭轉來轉去，像年輪一樣地轉，永遠轉不出去，這就是六道輪迴！

在這六道之外，既不屬於聖道，又不屬於這六道眾生的，只有殭屍！

它們脫離了六道輪迴，有著千年不死之身，壽命這兩個字在它們身上永遠沒有任何意義。

但是，生存，卻是它們一直以來所追求的，它們追求生存，但是又期待死亡。

「我要活下來，是因爲我要尋找死亡的方法！因爲我怕死，所以我要死！」

只有當你成爲殭屍的時候，你才會明白這句話的意思。

一個男人沉沉地說了一句話：「任天行死了！」

另一個人負著手背對著他的時候，聽到這個消息，身子猛地一顫，轉過了頭，眼光裡露出一種致命的殺氣。

那個男人看到他眼裡的殺意，全身微微打抖，即刻間冒出了一層冷汗，吞吞吐吐地說道：「任天行死了，是意外！」

看到這種來自地獄一般似乎能看穿自己的眼光，他的牙齒咯咯地打顫，幾乎是用盡了自己所有的勇氣，把最後一句話說了出來：「主公，這真的是意外，他是我養子，我培養了他二十多年，總不能親手殺了他吧！他是被一個殭屍殺死的！」

說話的這人居然是韋嘯天，任天行的養父，韋軍長！這個位高權重、氣宇非凡的軍人，此刻居然扛不住這個男人的眼光，不自覺地下跪了！

韋嘯天額頭冒著冷汗，哆嗦著把一台手提電腦放在這男人面前，播放了一段影像，裡面任天行跟一個全身五彩斑斕的殭屍不斷地搏鬥。

五彩斑斕屍猛地把任天行甩在地上，任天行迷糊地暈了過去之後，那滿臉陰沉的人臉上抽搐了一下。

這五彩斑斕屍最後朝上一躍，身子朝下，用又黑又長的指甲一下間插入了任天行的胸膛，嗞嗞的聲音之後，任天行傷口處冒出一股黑色的煙。

看著五彩斑斕屍得意地嗥叫而去，那人的臉上已經堆滿了怒氣。接著，他眼睛一亮，對天長吼，大喊道：「小小的五彩斑斕屍居然壞我大事，我讓它求生不能，求死不得！」

「主公，任天行死了，但是，我們仍然還有希望！」

那位被稱爲主公的人，冷冷地說道：「希望?這個詞我聽你說了六十年！我給你錢，我給你權，我替你掃除一切阻擋你發展的人，就是讓你研究出我需要的東西，可是這六十年來，你給我什麼?就這一句話嗎?」

「任天行的死，我也沒法控制，我已經安排破天研究任天行了，只是……只是還沒來得及動手，這事情太突然。不過，有人比我們更早研究任天行，我們可以從他們那裡下手！」

「是誰?」

「悅月!SUPER組織的人！」

「哼!」那叫主公的人冷哼了一聲，冷冷地看著韋嘯天，最後漠然道，「這件事以後不許你再插手，你馬上安排人把完顏長風和那個五彩斑斕屍的下落給我查出來!還有，發動你所有的力量，尋找額頭有跟眼睛一樣大小斑痕的屍體。你聽著，這次是你最後的一次機會，如果搞砸了，我會讓你死得很精彩，很精彩!」

韋嘯天離開了那個鬼地方之後，突然間兩腿一軟，摔在了地上。他沒有爬起來，只是趴著不停地嘔吐，臉色蒼白如紙。良久良久，他大口大口地喘氣，眼睛裡的恐懼慢慢地減退。

他上過戰場，扛過戰友的屍體，手刃過敵人，甚至還喝過敵人的血，在屍體堆裡面站過崗，從來沒有害怕過，但面對這個男人，他的膽量，他的勇氣就像被削得一乾二淨。他喉嚨裡咯咯地吐出了一句話：「他到底是什麼東西？」

此時，另一個人也膽顫地說著同樣的話。

他拿起了電話，叫了一個人來他的辦公室。

「報告！」

「小劉，來，進來，別這麼客氣！」

「殷縣長，您找我有什麼吩咐！」

「嗯，是這樣！今晚十一點，你約一下英國來的貴賓到老地方開會，轉告山姆先生，請他們不要遲到。」

「好！我馬上去辦！」

小劉走了之後，殷達明臉色一明一暗，不知道在想什麼，此時，他的手機接到了一則簡訊：老怪物要發威了，快想辦法！

看到這個消息，他的臉色陰沉了起來，牙齒一咬，緊緊地握住了拳頭，手機咯吱咯吱的居然被他捏得變形，螢幕「啪」的一聲就碎裂開。

「你到底是什麼東西？」

老地方，就在縣政府裡面的一個專用辦公樓裡，半夜十一點，幾個人影晃動之後，辦公樓的頂層電燈亮起。

面對著四個外國貴賓，殷達明並不像其他人那樣顯得客氣，顯得紳士，反而變得傲氣凜然，冷冷地看著這四個人。

「殷先生，你這是什麼意思！怎麼說我們都是你的貴賓，難道你們號稱禮儀之邦的中國人，都跟你一樣的態度嗎？」一個年輕英俊的外國人不屑地看著殷達明，他身邊的兩人臉色也非常不好看。

「啪！」殷達明忽然站了起來，甩手就是一巴掌打在這年輕人的臉上。這年輕人正要發怒，「啪」的一聲，殷達明反手又是一掌。

這年輕人被他這麼一打，愕然了一下之後，猛地對他吼了一聲，兩顆長長的牙齒從嘴角處露了出來。

殷達明絲毫沒有畏懼，冷笑道：「你信不信我把你的殭屍牙給敲下來？」

「萊恩詹姆斯，不得對殷先生無理！」另一個稍微發胖的男人對這年輕人喝了一聲，用一口流利的英文說道，「主人叫我們來協助殷先生，不是來鬧事的！」說罷，偷偷給那年輕人使了一個眼色。

其他對殷達明怒目相視的兩人，此時也偷偷低下了頭。

「你們現在才知道是你們主人要你們來協助我的嗎？」殷達明看著他們四人，冷笑道，「我出錢出力，讓你們在我管轄範圍內做研究，還給你們各種資源，就在最後關頭，被一個員警破壞了整個計劃，你們不是殭屍家族嗎？爲什麼不能解決他？你們兩個家族不是號稱西歐最古老最神秘的兩個家族嗎？爲什麼遇上了他們就像軟腳蝦一樣，躲著不敢出來？」

「殷先生，並不是我們不敢出來，是您讓我們不要露面，要不然，我們早就把那任天行給……」

「給怎麼樣？給咬了？你們不是帶了五個助手來嗎？叫什麼五行人的，不照樣被人家給殺了！」

萊恩詹姆斯整了整衣領，微笑道：「尊敬的殷先生，既然如此，我們幫不上忙，那就不好打擾你了，我們告辭了。」

「請便！」殷達明沒有挽留，那神色似乎是非常歡迎他們走，嘴裡淡然道，「回去替我向你們主人問好，嘿嘿！」

「你……」四人本來就看不起殷達明，滿肚子火氣，真恨不得把這人給吃了，正想離去的時候，被殷達明一語點破了他們心裡的擔憂，不禁愕然。

主人是派他們來協助殷達明，如今計劃失敗，讓他們損失慘重，那張記錄著整個研究過程的資料光碟，也是最寶貴的資源，如今下落不明。

真要回去，怎麼向主人交代？

山姆輕咳了一下，對其他三人使了一個眼色，然後娓娓說道：「殷先生大人有大量，何必跟這幾個年輕人計較？我們沒有保護好資料光碟，是我們的責任，我想，您也明白，這一次失敗中，我們的損失是最重要的，這十多年來的財力、物力和人力，大多數都是由我們萊恩和梅森兩個集團出資的，我們自然很心疼。」

山姆看了一下殷達明，繼續說道：「在F縣這十幾年，還真虧了殷先生全力幫助，我們才能開展這次試驗，倉庫一號的試驗品已經能控制了，幾乎能達到五行人的水平，相信只要再半年的時間，我們會有更進一步的研究成果。」

殷達明冷笑了一下，說道：「只可惜啊，可惜現在什麼都沒了！」

「那張光碟是最重要的物品，我們只要找到那張光碟，就能繼續做下去，我希望殷先生能幫我們找到那張光碟的下落。」

「叫我幫找？」

「對，以殷先生這樣的身份、地位和能力，要找丟失的一張光碟，可說是舉手之勞。」山姆奉承了一句，給其他三人使了眼色。三個人心裡雖然不服，但是到了這個地步，也只能忍氣吞聲，皮笑肉不笑地附和著。

殷達明心裡偷笑，一臉莫測地看著他們四人，最後說道：「要我幫忙也行，不過，先幫我做兩件事情。」

「什麼?你要我們尊貴的殭屍家族幫你做……」

「閉嘴！」山姆打斷了萊恩詹姆斯的話，狠狠地白了他一眼，然後陪笑道，「不知道殷先生要我們做什麼事？」

殷達明哈哈笑了幾聲，說道：「也沒什麼大事，就兩件小事而已，第一件就是幫我殺三個人。」

「殺人？」山姆和萊恩詹姆斯驚愕了一下，最後相視笑道，「這倒是件小事，殺人我們最在行！要殺誰？只要在他們的脖子上輕輕一咬，把血都吸乾，他們自然就會死。」

「一個是櫻子，一個是賴八他們師徒。」

「好，沒問題，這日本女人，我們早看她不順眼了，但是，賴八師徒是什麼人？怎麼能找到他們？」

殷達明嘿嘿地一笑，繼續說道：「第二件事，就是幫我偷一樣東西，在M軍區，一個叫悅月和周芷慧的身上有一份資料，這份資料記載著一些實驗資料！」

「就這兩件事？」

「對，就這兩件事，只要你們幫我辦了這兩件事，我就會動用我的關係把那光碟給找出來！」

山姆和萊恩詹姆斯他們三人相視了一眼，點頭說道：「OK，成交！」

第154章

九菊櫻子

櫻子居然把自己的小指咬下了一截。然後，整個人趴在地上，用嘴叼著手指，在地上畫了一個奇怪的菊花，額頭向這菊花圖案用力地撞去，血花四濺，白色的腦漿，腥紅的血，把這菊花染紅了。

今晚的月亮特別的亮，皎白的月光灑在整個F縣上，偶爾幾聲蛙鳴和蟋蟀的叫嚷聲，讓月夜更加顯得安靜。

軍區也沉睡在這樣的夜晚裡，犯睏的士兵偷偷地打著哈欠，不停地來回走動，以抵抗襲來的睡眠。

幾聲烏鴉的叫聲之後，站崗的士兵警覺地朝聲音來源的方向看去，就在轉頭之際，四道黑影眨眼之間偷偷溜進了軍區。

四雙閃亮的眼睛不停地巡視著四周，一人低聲說道：「萊恩詹姆斯，你和梅森達斯去找那些資料，櫻子交給我和艾達門。」

四個人分成了兩夥，一夥向東，一夥向北，如猴子一般靈活閃去。它們動作輕盈，就像張開翅膀的蝙蝠一樣，讓整個身子隨著氣流流動著，輕輕地靠在牆上，然後一躍，又像壁虎一般，黏在很光滑的牆壁上。

萊恩詹姆斯和梅森達斯相互做了一個成功的手勢之後，兩人同時一躍，躲開了探照燈，躥到了軍區的北角。

軍區裡的軍犬狂吼了兩聲之後，被遠處山姆冷冷的眼光盯得只敢哼唧哼唧了。

四個偷偷溜進軍區的人本以爲神不知鬼不覺，但是讓他們死也想不到的是，三雙眼睛在他們進來的時候已經睜開了。

施絲就像一隻松鼠一樣，從床上躥了起來，爬出十層樓高的視窗，又躥到了大樓頂部，然後趴在那裡，眼睛巡視著軍區四周，耳朵不停地顫動。

「咯咯咯！」皮鞋輕輕踏在水泥上的聲音隱隱傳來，施絲一轉身，兩個人已經站在了她的後面，對著她邪邪地笑。

她還沒有喊出來，這兩個人一左一右撲了上來，就像風一樣，呼的一下到了她跟前。這樣的速度，是施絲始料不及的，也許她從來沒有想過會有人有如此快的速度，就在她腦海裡驚愕的一秒鐘裡，她的雙手已經被這兩個人擰住。

山姆得意地笑著，可是，笑容剛剛堆上了臉蛋沒到一秒鐘，即刻停止住了，他們兩人也沒有想到，這個女的動作比泥鰍還滑溜。

「嘶嘶！」

兩聲衣服撕開的聲音，施絲不知用什麼方法，已經脫離他們的掌控，手臂上的兩袖被撕了下來，露出了如藕般白嫩的手臂，只是手臂上多了幾道紅色的血痕。

「你們什麼人？居然敢亂闖軍區！」

「嘿嘿嘿，這句話留著問死神吧！」山姆臉色一冷，眼珠瞬間變成了赤紅色，手指陡然暴增，血紅色的指甲變得有三尺多長。

「吸血殭屍！」施絲看到對方嘴角裡的那兩顆牙齒之後，身子一顫，不敢戀戰，急忙轉身而跑。

她吃過這些殭屍的苦頭，而且連古晶這樣的高手都被屍毒所侵，她又怎麼敢正面交鋒？她如狐狸一般的身影不停地跳躍著，明明還在前面十米開外，轉眼間，人影已經在另一角了。而兩個殭屍就像蝙蝠一樣，跟隨著施絲的聲音不斷地變化著路線，或躍或跳，或跑或躥地緊緊追隨著。

施絲用盡了全力，仍逃不出他們兩人的緊追，但這兩殭屍花費了心思，一樣也追不上施絲。三個人影在軍區裡不斷地飛旋著，就像三隻蝙蝠一樣到處亂闖，速度之快讓人詫異。

萊恩詹姆斯和梅森達斯兩人剛剛把門衛打暈了之後，進入一個地下密室，裡面密密麻麻地擺著各種實驗設備。

梅森達斯低聲道：「這裡看來是他們的實驗室，那些資料可能會在這裡面。」

萊恩詹姆斯先點了點頭，然後又搖了搖頭，眼睛盯著另外幾間屋子說道：「這裡不是實驗室，你看這些屋子，為何用鐵柵圍住？走，咱們進去看看究竟。」

兩人走到裡面幾間屋子裡，相視了一眼，這地方居然是禁閉室，門是用精鋼鑄成的欄杆，只露出拳頭大小的縫隙。

「櫻子！」萊恩詹姆斯轉頭見到一個女人被關在裡面的時候，不禁驚訝地叫了一聲，這地方關的居然是櫻子。

櫻子正在狐疑地看著外面的人，聽到熟悉的聲音之後，不禁大喜道：「萊恩先生，太好了，你是來救我的？」

櫻子撲到了鐵柵門口，低聲說道：「快想辦法把這門打開。」

萊恩詹姆斯和梅森達斯相視了一眼，微微點了點頭，看了鐵柵之後，用力地晃動了一下，沒有任何反應，這鐵柵的鎖，是用電腦上鎖，根本沒法撬開。

「櫻子小姐，山姆先生已經幫妳想辦法了，我們一直在等待機會救妳出去。不用急，妳過來一下，我教妳怎麼做！」萊恩詹姆斯對櫻子招了招手，臉上堆著一絲笑容，眼裡閃過一絲凶光。

櫻子見到萊恩詹姆斯沒有忘記自己，心裡一陣感激，想不到跟他在F縣相處十多年，平時很少說話，在關鍵的時候，還是會出手相助，心裡不禁慚愧了起來，想到以前自己曾經爲難過他。

不過，感激多過慚愧，她滿臉興奮，把耳朵湊在鐵欄柵上。

萊恩詹姆斯向梅森達斯使了個眼色，然後把頭湊了過去，冷笑道：「我是來要妳命的。」

「嗞嗞」兩聲，兩隻手居然穿進鐵柵，萊恩詹姆斯的手掐在櫻子的脖子上，梅森達斯的手狠狠地抓著櫻子的肩膀，正好抓在了櫻子的傷處，這個臂膀的手掌，齊腕之處被任天行弄斷至今還沒好。

櫻子嘴裡慘哼了一聲，嘴裡猛地一咬，對著萊恩詹姆斯的臉噴了過去，念了一句咒法，那口血就像硫酸一樣，「嗞嗞嗞」地在詹姆斯身上冒出一股股的青煙。

詹姆斯痛苦地吼叫了一聲，梅森猛地抽回了他的手，只聽「噗哧」一聲，一股熱血向四周噴去，一條手臂被他狠狠地拉了出來。濃重的血腥味讓萊恩詹姆斯和梅森達斯兩人興奮地歡呼著。

櫻子大聲地慘叫了一下，並沒有用自己的手去捂住肩膀上的傷，反而咬破了她的指尖，擠出一滴血，向梅森彈出，眼裡射出一股妖異的光。

梅森沒想到這女人居然這麼強悍，被自己活活拆下一條臂膀居然沒有暈倒，在他得意的時候，眉心上突然間感覺到有股涼意，用手一抹，是一滴血。

隨之而來的，是皮膚上陣陣的發癢，梅森用手一抹，掌心裡多出了一塊皮，再仔細一抹，天啊，自己額頭處的四周，漸漸地變成了異樣，就像是豆腐渣一樣，抹一下掉一層肉。梅森一個腦袋被這麼兩次一抹，只剩下半個，這剩餘的半個已經不能叫腦袋了，只能叫骷髏。

半個白森森的骷髏加上他半個頭顱，顯得格外的恐怖。

「哈哈哈！我就說，你們這幾個怪物什麼時候變得這麼講義氣，跑來救我？原來是來殺我，好，真好！」櫻子陰陰地笑，根本沒在意正在噴出的血，也許她已經知道自己以後的命運，索性乾脆放手硬拼。

九菊派是日本最神秘的門派之一，它沒有日本禪宗那麼有名氣，也沒有日本忍者這麼人數眾多，但卻能屹立了幾百年。

根據記載，九菊一脈源自中國茅山派的分支，不屬於茅山正統，但是又跟茅山派有關聯，古晶在以後對九菊一脈的起源進行研究的時候才發現，這九菊派是昔年茅山派大茅峰的弟子因爲犯忌，被師父趕到苗疆，死後他的傳人的傳人遠走東洋創立的門派。

九菊派能創派如此之久而沒有被人吞併，沒有幾把刷子是不可能的，其中的道家秘法經他們加以創新，變得更狠更毒。

櫻子的一滴血換了梅森達斯半個腦袋，嘴裡噴出的血還讓萊恩詹姆斯吃了大苦頭，這瞬間的事情，讓兩人慘叫不已。

兩人吃了苦頭之後大怒，殭屍牙隱隱露了出來，赤紅色的眼珠不停地轉著，朱紅色的嘴唇變成了黑褐色。櫻子不屑地看了它們兩人，狂笑道：「就憑你們這兩個小殭屍就能進得來嗎？」

面對著櫻子的藐視，萊恩和梅森大怒，手掌發出「劈啪」的爆裂聲，仰天一吼之後，兩人緊緊地抓住鐵柵，赤紅色的眼珠裡面一團團的火焰在燃燒。

櫻子心裡冷笑，就連自己的遁地術也出不了古晶在這房間布下的陣式，這兩個傻瓜居然想把這手臂粗鐵柵給扯斷！她嘴裡悶哼了一下，後退靠在牆壁上，等著看這齣好戲。

果然，兩人正怒吼著，把最大的力量集中在手臂的時候，用力一扭，手臂粗的鐵條沒有被扭斷，掌心卻傳來了灼熱的痛，而它們腳底，瞬間變成了一片火海，大火在它們腳底下熊熊地燃燒。

「吼！」低吼了一聲之後，兩人發出一聲尖銳的叫聲，吸血殭屍一向很忌諱火，就像毒蟲忌諱雄黃一樣。

萊恩和梅森兩人發出尖銳的慘叫聲，心裡的那股怒火變成了驚恐，嘶喊著爭相逃了出去，櫻子在後面嘿嘿大笑。

「暗算我就想走，沒這麼便宜！」櫻子嘴裡狠狠地說了一句，把小指塞進自己的嘴巴，張口一咬。

天哪，她居然把自己的小指咬下了一截，然後整個人趴在地上，用嘴叼著手指，在地上畫了一個奇怪的菊花，這菊花的花瓣，不多不少，正好九瓣！

「去！」畫完這個菊花之後，櫻子睜大眼睛，額頭向這菊花圖案用力地撞去，「轟」的一聲，血花四濺，白色的腦漿、腥紅的血把這菊花染紅了，櫻子整個人就趴在那裡一動不動。

萊恩和梅森兩人幾乎是腳不沾地，爭相地衝了出去，手心上灼痛的感覺讓他們額頭冒汗，真想不到自己居然會這麼蠢，櫻子是九菊派的第一把手，這十多年來一直都是她掌管整個「活祭計劃」的運作，自己只是協助，提供資金。她的道法神秘莫測，像她這樣一個女人，又怎麼會讓人抓住？就算被抓，也應該能逃出來，可是她居然沒有逃，這說明什麼，不是不逃，是不能逃。

萊恩在後悔的時候，突然間有一種不祥的感覺，這是一種來自心底的驚悚，這是一種三百多年來不曾有過的感覺，那就是懼意。

「梅森！」他叫了一下同伴，梅森停緩了腳步的時候，萊恩絲毫沒有放慢速度，搶先跑在的正對面。

梅森還沒明白過來，一種來自地下的力量，已經沿著他的雙腳漸漸地蔓延到了頭上，把他整個人籠罩住了，整個身子被擠壓成一團，全身的骨骼不斷地爆裂。

「轟！」

一聲爆炸聲之後，梅森整個人消失了，留下了一堆煙灰，讓萊恩看得心驚肉跳。

就在此時，一個中國老者驚訝地叫了一聲：「吸血殭屍！」

第 155 章

逼退萊恩家族

詹姆斯露出兩顆尖尖的牙齒，朝這年輕人的脖子咬去。這年輕人動作比它還快，右手緊緊地抓住詹姆斯的脖子，把它提了起來。「咔嚓」一聲，喉嚨骨被捏斷，詹姆斯不敢相信這人居然有這麼大的力量，臉色變得暗淡了起來。

古晶正在酣然入睡中被幾聲奇怪的烏鴉聲驚醒，之後又躺了下來，心裡總有著不祥的預兆，想到烏鴉，突然間坐了起來，這麼晚怎麼會有烏鴉叫？

他掐指一算，立馬穿上了衣服，趕往櫻子被關的地方，這時他看到一個人突然間爆炸開，灰飛煙滅，另一個人，赤紅的眼睛，高高的額頭和高挺的鷹勾鼻，臉色青白，嘴角兩顆長長的牙齒突了出來。

古晶失聲叫了一聲：「吸血殭屍！」

萊恩詹姆斯對著古晶狂吼了一下之後，拔腿就跑。

古晶拔腿就追，嘴裡喝道：「想跑！風雨雷電兵，急急如律令，去！」一道燃燒的黃色符咒飛疾而去。

「噗哧」一聲，一股濃濃的燒焦味傳出，萊恩詹姆斯嗥叫了一聲，一邊狂飆一邊罵道：「**Fuck**！我的性感小屁屁啊！」一溜煙似的，就像是一隻發瘋了的蝙蝠，到處亂飛亂撞。

站崗巡邏的士兵們見到如此怪異的景象，譁然了一陣之後，隨之而來的是機關槍和手槍的聲音。

「施絲！」周芷慧高聲叫了一聲，手一揮，一列列的軍人嚴陣以待，朝著施絲背後的那兩個殭屍開火。

黃風和大石頭從兩側出來，一把搶過身邊兩個士兵的步槍，端起來對著來人的額頭就是幾槍。

熾熱的子彈冒著熱氣，穿破了空氣的層層障礙，一顆一顆地打在它們身上。

「噗哧！噗哧！」子彈射入身體的那種低沉的聲音隨之而來，強大的衝勁把兩個殭屍鎮了一下。

一輪火力之後，眾人看見發呆不動的兩人突然間鎮了一下，然後桀桀地一笑，隨即兩人身子一抖，打在身上的彈頭唏哩嘩啦地掉在地上，噹噹地響。

眾人譁然了一下，不自禁地後退了一步，它們獰笑著，得意地看著眾人，兩顆尖尖的牙齒露了出來。

大石頭瞪大了眼睛，大罵道：「我操你奶奶，這陣子邪了門了，這是洋殭屍，等老子扛個大傢伙讓你嘗嘗！」

他和黃風都跟這些殭屍交過手，自然知道它們的厲害，也明白這些武器根本對付不了它們，只能用爆裂性武器，兩人趕緊往最近的庫房跑，去找火箭筒、榴彈槍或者軍用火焰槍。

「開槍！」周芷慧一聲令下，又一輪攻擊射了過去，山姆兩人不動也不走，還得意地吼著，一副沒招了吧，你能拿我怎樣的那種神情。

遠處一個人影呈一條弧線一般飛了過來，來人是萊恩詹姆斯，一臉的狼狽，背後還緊緊跟著一個老者。

山姆一臉不屑，大罵道：「一個老頭就把你弄成這樣，真是丟我們萊恩家族的臉！」說完，仰天一吼，身子一閃，手上已經提了兩個人過來，用力一撞，兩人慘叫了一下，就這麼死了。

眾人臉色大變，這個人的速度這麼快，只一眨眼的工夫，就擒住了兩個人。

「你們是萊恩家族的人?!」周芷慧目視著這三個人，嘴裡雖然這麼問，其實心裡已經確定了。

山姆挺起胸，抬起頭，高傲地說道：「不錯，我們就是高貴的殭屍家族，萊恩家族的人！」

「孫子，看你貴到哪裡去?拿下他們！」江團長看到自己人一下被他們殺了兩個，心裡正火著，如今見到古晶和周芷慧他們都到場了，把握大了許多，最關鍵的是，一個人偷偷地把一抓子彈塞在了他的手裡。

江團長轉頭一看，是悅月他們三人，這三人在後面把子彈分給眾人，這些子彈是最新研製的蒜精彈頭子彈，SUPER組織專門研製對付吸血殭屍的。其他人不知道悅月他們三人，但是江衛華多少知道一點其中的事情，因此毫不猶豫地裝上了新式的子彈，信心大增之後，槍口對準了它們。

山姆一臉傲氣，這群不知死活的人，它從來沒看在眼裡。

子彈呼嘯著飛了過來，它伸出手把子彈給抓住，正在得意，掌心處呼的一下冒出了一團團白色的煙。它臉色大變，低頭一看，子彈頭流出一股白色的液體，正侵蝕著自己的手臂，它驚慌地叫了一聲，右手捏住自己的左手用力一扯，活生生地把自己的手臂給扯了下來。

僥倖的是，手臂剛剛被扯下來，那短臂已經像被凍裂的棍子，一塊一塊地掉得粉碎，要不是動作快，讓蒜精流到自己心臟位置，就連神仙也救不了了。

「KML的人？」山姆失聲叫了一下，沒想到這個地方居然有KML的人，這是SUPER組織專門對付吸血殭屍的一個部門。

這下，山姆可真算是大意了，丟了一條臂膀。面對著眾多的官兵，還有一個叫古晶的高人，山姆、詹姆斯它們不禁愕然，不知道有多少把槍，多少顆子彈是蒜精彈頭子彈。

山姆眼睛一亮，看到了一個人影，狠狠地吐了一句話：「Tom！是你？」

Tom是負責KML武器研究的工程師之一，在光學研究方面非常出色，西方的吸血殭屍多次派人暗殺這些工程師，對於Tom自然熟悉不過了。

這個Tom在這裡出現，難怪它們很驚訝，隨之而來的，就是山姆的獰笑：「這麼多次想殺你都沒機會，今天終於遇到了。」

三個影子，速度非常快，分左右和上方三個方向，一下間朝Tom攻了過來，對它們來說，Tom的重要性比櫻子要高多了。

謝坤早就注意了它們的，只是沒想到它們動作會這麼快，一凝神，附近一個磨盤大的石頭飛了起來，迎面砸向詹姆斯。

施絲也急忙迎戰，悅月他們三人是任天行的朋友，也算是客人，怎麼說都不能讓他們在這裡出事。

施絲的速度絲毫不遜色於它們，她挑了個最近的，把山姆身邊的那個叫艾達門的紅頭髮殭屍攔住了。

三個殭屍有兩個被人截住，山姆正想對Tom下毒手，一個戴著眼睛的老人文質彬彬地出現在了他的面前。

這老人微微抬起了手，遙遙就是一掌，喝道：「回去。」

山姆低吼了一聲，赤紅色的眼珠就像在燃燒，根本不在乎這個老頭。

一股強大的穿透力迎面而來，讓山姆提高了幾分警惕，聚集了自己全身的精力，把這股力量全部吞噬掉。

「何博士，小心！」

「老何，用鎮屍符！」

在周芷慧和古晶的驚呼下，何博士臉色變了幾下，瞬間手裡多了一張正在焚燒的黃符，手一甩，向山姆打去。

Tom趁機後退了幾步，內心除了驚愕，更多的是驚奇，絲毫沒有懼意，他心思都放在那黃符上，這是什麼東西，難道就是傳說中的中國符咒？

「噗哧！」

黃符的力量並沒有古晶和何博士想像中有效，只是把山姆打得摔在地上，之後山姆又即刻彈了起來。

眾官兵都不敢開槍，就連江衛華也不敢亂開槍，雖然有蒜精子彈，但是它們速度這麼快，根本沒法瞄準，而且距離太近了。

「噗哧！轟！」

一團強烈的紫色光線在四周射出，山姆嗥叫了一聲，用手擋住了自己的眼睛，然後尖銳地叫了一聲，三個人影向軍區牆外面飛馳而去。

在另一角，黃風和大石頭兩人扛著小型火箭筒正在趕來，看到它們三個往外跑，急忙追了上去，大喊道：「孫子，給我回來。」

「嘯！轟！」

「嘯！轟！」

兩聲尖銳的火箭彈發射聲音響起，兩個火箭彈尾隨著它們三個的方向跟去，最後也不知道是否把它們轟中，在爆炸聲中，只聽到兩個人大聲嗥叫了一下。

江衛華心裡一動，喝道：「追！」手上的槍朝三個人影不斷射去。

山姆和詹姆斯、艾達門三個不敢再接子彈，鬼知道那顆子彈是不是蒜精彈頭的，只能不斷地躲避著子彈，落荒而逃。

悅月手裡還捏著一顆「烈日」，看著古晶和何博士，心裡在想著一些事情。

郭心妍拍手樂道：「新研製的武器，效果比以前的好了很多！只是不知道對中國殭屍有沒有用。」

喧鬧了一陣，他們才發現櫻子死了。

古晶和何博士看著櫻子的屍體，相視了一眼，最後說道：「九菊派的道術果然很惡毒，櫻子居然用自己的修行換最後一擊。只可惜，這人走錯了路，不然一定會成為一代宗師。」

山姆三個倉皇而逃，出了軍區之後，才停了下來，讓它們痛心的是，梅森居然死在櫻子的手上。

它們仰著頭，面對著月亮，用力地呼吸，貪婪地吸著月光，原本蓬亂的頭髮和臉上被火箭筒炸傷的臉蛋，漸漸地恢復。

「櫻子活不成了，我們算完成了一個任務，下一步，我們要先對付賴八師徒。」

「那資料怎麼辦？裡面有KML的人，還有幾個身手都很厲害的人，非常難弄，我們怎麼跟那個中國豬交代？」

「那個事情放到最後，我想，以我們家族的能力，不至於讓殷達明這個人質疑吧，我只是不明白，爲何我們主人堅持要我們協助櫻子和殷達明，實在想不通。這麼多錢，都白白拱手給他們，對我們有什麼好處？」

山姆想了一下，對它們兩人說道：「主人自然有他的想法，咱們照做就是了。要得到資料並不難，只要先把那幾個KML的人給殺了，其他人奈何不了我們！我們等會兒偷偷溜進去，然後……」

「沒有然後！」一個聲音冷冷地從一角竄了出來，三個人驚愕了一陣，面面相覷。這是一個短髮的長得非常帥氣的男人，除了那凌厲的眼神，全身上下看不出一絲特別的地方。

山姆注視著他，獰笑道：「詹姆斯，你肚子餓了沒？咱們好久都沒有喝到新鮮的血了，嘿嘿！」

詹姆斯看著這個年輕人，聽到山姆的話，饞了一下，吞了一下口水，慢慢張開它的嘴，露出兩顆尖尖的牙齒，朝這年輕人的脖子咬去。

「刷」的一聲，這年輕人動作比它還快，在它飛到的時候，已經向前邁開了一步，右手緊緊地抓住詹姆斯的脖子，把它提了起來。

這年輕人一出手，讓山姆和艾達門兩人心裡震撼無比，它們終於看到這個年輕人的可怕之處，因為這個年輕人全身上下找不出一絲活氣。

「哢嚓」一聲，喉嚨骨被捏斷。

詹姆斯不敢相信這人居然有這麼大的力量，聚集了全身的力量，兩手不斷地抓在這年輕人的手臂上，甚至把力量集中在手上。

輕微的斷裂聲，讓詹姆斯臉色變得暗淡了起來，它那又黑又尖又長的指甲，灌注了他所有的力量，想戳進這年輕人的手臂上。

這樣巨大的力量，就算是牆壁也能戳進個三尺，但是，這年輕人的皮膚比鐵板還硬，接觸之下，指甲居然斷裂開。

「吼！」山姆終於看出了不妙，跟艾達門兩人一起，向這年輕人撲了上去。

第156章

屍王天下

任天行突然張開了自己的嘴，低吼了一聲，這一聲低沉的聲音，讓山姆的兩腿不自覺地發軟，這是一種只有霸者才具備的威懾力。山姆心頭震撼，腦子裡浮現出了四個字：殭屍之王！

這年輕人眼睛突然間爆射出一種精光，微微地張開了嘴，嘴裡兩顆金燦燦的牙齒露了出來。

一個怪裡怪氣的，頭呈錐形的靈體，從他身上爬了出來，小手一拍，然後兩手叉腰，面色氣憤地盯著這兩人，猛地一張口，兩個小金牙也露了出來。

這小怪物從這年輕人身上蹦了下來，身上陡然多出了十多條跟手臂一樣的東西，整個形狀就像是蜘蛛一樣，向它們網來。

年輕人沉沉地低吼著，突然間抬起了左掌，一把打在萊恩詹姆斯的頭上！

「啪！」

只這一聲，隨之而來的吼叫、嚎叫、慘叫聲聚集在一起，尖銳的破空聲之後，詹姆斯化成了一堆灰塵，灑落在地上。

「詹姆斯！」山姆和艾達門失聲叫了一聲，內心感覺到了死亡的臨近，也感覺到了前所未有的恐懼。

它們幾乎都忘記了恐懼的感覺，但是，今天，現在，它們又體會到了幾百年來未曾感受到的感覺。

山姆和艾達門哆嗦著，別說靠近這個年輕人，就連他身上化成蜘蛛一樣的小怪物都突破不了，自己前面就像是一堵牆一樣，根本過不去，自以為具有最高貴的血統的殭屍，在這個東方古國，竟變得這樣的渺小。

「你是誰，你到底是誰？」山姆不斷地喃喃問著，這個比他主人還恐怖的人，顯得這樣的冷靜，這樣的冷漠，這樣的恐怖。

艾達門大喊了起來：「他是魔鬼，他是魔鬼，他是撒旦！他是撒旦！」

就連成為殭屍的它們，也感覺到了恐怖，感覺到了害怕！

年輕人冷冷地看著它們，腳步緩緩地走了過來，冰冷的眼光就像一把刀一樣，從它們身上割到腳底。他淡淡地微笑著：「我不叫魔鬼，我也不是撒旦，我的名字叫任天行！」

「任天行?任天行？」山姆和艾達門低聲念著，這名字似曾相識，但是又想不起來。等到任天行問起櫻子和殷達明的事情的時候，它們終於想起來了，這個人就是前幾個月讓櫻子吃虧，跟一個叫長風的人殺了中村和森田的員警。

任天行微笑著看著它們，從它們臉上的表情可以知道，這兩個人終於想起他是誰了，自己根本不用解釋。

他淡淡說道：「我問一句，你們答一句，如果你們不想得到像剛才你們那同伴的下場的話！就乖乖地告訴我。」

「你們跟殷達明和櫻子是什麼樣的關係？」

山姆和艾達門相視望了一眼，緘默不語。

任天行臉色一冷，喝道：「說！」

山姆兩個相視一點頭，急忙飛身後退，想逃跑，任天行緩緩地叫了一聲：「嘰咕，攔住它們！」

嘰咕嘰哩呱啦說了一聲之後，把正飛馳的兩個人給活活地扔了回來，任天行毫不客氣，一腳把山姆踢到了一邊，兩手接住艾達門用力一擊，又一個灰飛煙滅。

山姆看著連生命體現象都沒有的任天行，心裡震撼無比，這個人比死神還恐怖，殺人根本不看帳簿，不一會兒的工夫，就把自己兩個族人給殺了，而且，它們這一族是歐洲最古老、最厲害、最有聲望和資歷的殭屍。

就連死神也不敢過問殭屍的事情，所以殭屍能長生。看來，如果不回答他的問題，自己今天只有跟詹姆斯它們一樣的下場。

「我說，我說！十六年前，我們被主人委派來這裡，協助日本山口組的九菊派做研究，我們主要提供資金和物資，其他的我們一概不管。」

這萊恩家族和梅森家族，資產可說富可敵國，單是萊恩集團旗下的公司，有超過四十家是英國的經濟脊髓，對於山姆的話，任天行點了點頭。

「你們主人是誰？」

「是……是……高貴的肖恩大人！」山姆思考再三，最後還是說了出來。

「那殷達明是怎麼回事？」

「肖恩大人要我們全力資助櫻子進行的研究工作，然後協助殷先生，做好各方面的工作。」

任天行心裡一動，想不到這殷達明居然是關鍵人物。

「剛剛你們到軍區，要拿什麼資料？」

山姆愕然地看著他，沒想到任天行居然知道剛剛的事情，難道他剛才一直在軍區裡面？

山姆冷汗不斷冒了出來，心裡喊道：幸好剛剛沒跟他撒謊，不然自己小命不保。

「是，是殷先生要我們去偷一份資料，據說……據說是一份實驗資料。」

任天行看到山姆似乎不敢說謊，微微點頭，心裡想道，這個實驗資料難道就是上次何俊泰從那幾輛翻倒的車子上拿回來的那些資料？

多半有這個可能。

任天行一個眼色，嘰咕刷的一下回到了他腰間的那把槍裡。

對著山姆，任天行冷然說道：「從今天開始，你滾回你們英國去，再踏上我們的領土，我一定不放過你們！」

山姆眼裡露出一絲希望，想不到他居然放過自己，臉上露出一絲感激。

任天行盯著他，突然張開了自己的嘴，對它低吼了一聲，這一聲低沉的聲音，就是在示威。

這看起來如此簡單的低吼，讓山姆的兩腿不自覺地發軟，差點就跪了下來，這是一種天生的霸氣，一種只有霸者才具備的威懾力。

山姆心頭震撼，它知道它爲什麼害怕了，因爲它遇到了王者，只有它的主人肖恩才具有的獨特霸氣，它的腦子裡浮現出了四個字：殭屍之王！

它連忙撒腿就跑，刷刷幾下沒影了。

任天行看著山姆的背影，嘴裡自言自語地說道：「殷達明，看來，是到了跟你挑明的時候了。」

萊恩家族的出現，讓他嗅到了整件事的一點點味道，順著這個味道，他要順藤摸瓜！任天行思量再三，決定先去見見悅月。

SUPER組織跟西方殭屍的爭鬥，不是一天兩天了，自己也曾透過國際刑警，得到關於萊恩和梅森等這些吸血家族的資料。

說起來，SUPER組織真的讓任天行敬佩不少。根據國際刑警的資料得知，在經濟和政治上，萊恩和梅森家族的人都牽涉了不少弊案，但是由於證據不足，西方那邊法制部門無法對這些人進行制裁和控制。

SUPER組織暗中組建了一個部門，簡稱KML，專門對付吸血殭屍，制止他們在社會各界滲透，他們請了最好的驅魔人，請了最厲害的巫師，請了最有能力的科學研究人員，分析如何對付這些吸血殭屍。他們甚至還研究出對付殭屍的武器，蒜精子彈和「烈日」就是其中的兩樣。

悅月身邊的郭心妍，是蒜精子彈的開拓者，而「烈日」是Tom的研究項目，因此，要瞭解山姆他們幾個人今晚的行動，甚至要知道吸血殭屍家族的主人肖恩，目前最好的辦法莫過於找悅月。

當任天行正打算跟悅月見面的時候，郭心妍的一句話讓他大吃一驚。他原本不屑偷聽的，但是這件事卻跟自己關係重大，因此決定做一次小人。

他剛剛決定做一次小人，無意中卻發現藏在暗處的另一個小人，還是一個小女人，那就是施絲。

剛剛趕走了山姆這幾個吸血殭屍，整個軍區都沸騰了起來，這麼多的官兵，親眼見到了殭屍的面目，不禁愕然、震驚，紛紛議論著。

江衛華把悅月他們提供的蒜精子彈和「烈日」，按量發給了各個巡邏的士兵，雖然子彈有限，但是一定要確保軍區每一個關鍵地方都要有這些子彈，然後部署了巡邏的方式，並下了禁令：嚴禁一切關於今晚的消息外洩，違者軍法處置。

悅月和郭心妍、Tom三人回到了自己的住所，正在討論著今晚的事，絲毫沒有發現，在另一個黑暗的角落，任天行正關注著他們。更讓他們意想不到的是，除了任天行，施絲就像壁虎一樣，貼在更隱秘的地方，偷聽著他們的對話。

「櫻子死了，聽他們說，死得很慘，臂膀被人扯斷，大量出血。致命的死因是死者用自己的頭撞在地上，不過，看那錄影重播，似乎櫻子是在施什麼法術。錄影裡面看到櫻子一共對詹姆斯它們還擊三次，嘴裡噴出的血，手指上的那一點血，還有自殺之前用自己手指畫的那個菊花，想辦法把這些資料弄出來。」

「Sharly，櫻子的這種施法方法，看起來跟巫術很相像，但是實際差別很大，她的這種法術，顯得更加邪門。想想，從嘴裡噴出的血，怎麼可能像硫酸一樣具有腐蝕性呢？還有何博士和古晶到底是怎樣讓那些黃色符咒變成能量？此外，中國有兩千多種符咒的寫法，這麼多的種類，他們又怎麼分配這些力量？」

悅月點了點頭。她自己也迷糊，中國的術士實在太奇怪，太邪門，要研究這樣的怪事，不知道要費多少精力和時間。

悅月長歎了一口氣，說道：「如果長風願意幫我們做研究，那就好辦多了，但是這個人實在太神秘了。他幾乎是無懈可擊，物質條件對他沒有任何作用，要他幫忙，可能性微乎其微。」

「有一個辦法，也許能讓他幫忙！」郭心妍想了一下，抬頭相視道，「王婷婷！從他身邊的人開始，如果王婷婷願意加入我們組織的話……」

郭心妍的話一下讓他們明白了過來，直讚好主意。

「你們說，詹姆斯他們潛入軍區，目的是什麼？」悅月掃了他們一眼。詹姆斯他們四個人分成兩批，一批人殺了櫻子，另一批人呢？一定不是殺櫻子這麼簡單。

「還記得那個何博士的孫子嗎？黑龍會的老大何俊泰他們發現倉庫一號和黑府忍者死亡的現場，找到一些重要的資料，這些資料應該跟倉庫一號的研究有關。」

「這些資料在誰的手上？」

「龍牙的手上，應該是曾敏儀那丫頭在研究。」Tom說到曾敏儀的時候，耳朵不禁紅了起來，這丫頭實在太聰穎了，讓他欽佩不已。

悅月點點頭，緩緩說道：「如果是那樣就好了，只要他們的目標不是我們手上這些資料就好。哈哈哈，他們怎麼也沒想到，任天行身上的秘密才是最珍貴的。」

第 157 章

原來如此

殭屍的屍毒沉積在胎盤裡面，並不能讓小孩一下間變成殭屍，因為有羊水的保護。這一正一邪，相互剋制地都進入體內，所以任天行一直都很正常，這就像是慢性毒藥一樣。

任天行在一角聽到他們提起自己，心裡一動，自己會有什麼秘密？他豎起耳朵，仔細地聽著悅月他們的對話。

郭心妍點了點頭，說：「任天行的DNA分析表已經出來了，他的血液裡有一種很奇怪的病菌，它的穿透力很強，能直接進入骨髓。只是我們因爲條件的限制，還沒有掌握這種病菌的生成方式。」

「做了對比沒有？」

「做了四個樣本的對比，我們拿到的白毛殭屍樣本、紫毛殭屍樣本，和萊恩家族吸血殭屍的樣本做了比較，這三種殭屍，DNA很大部分是一樣的，只是有些差別，但是任天行的DNA跟這三種相比，只有很少部分一樣，不到十％！」

眾人面面相覷，這個結果很出乎意料，就連任天行也感到很奇怪，他發現自己跟以往不同是從進入湘西的時候開始的，爲何會變成這樣，他並不明白。

如今，他恨不得悅月他們趕快說下去，看看自己是什麼原因變成這樣的。悅月後面的話，讓他譁然變色。

按照樣本的對比，悅月他們找到了一絲規律，由一種病菌A變到另一種病菌B，需要一個週期，這個週期按照科學推算，需要三百年時間。而這個病菌，直接影響了人體毛細血管，以至於人體的毛髮發生一些變化，比如毛色。而這個病菌，又影響到新陳代謝，會侵蝕寄居在人腦部的菱腦夾之間。也就是說，這個病菌是個活體，在菱腦夾中控制著人體。

Tom只是在光學上面研究成績很大，其他方面涉及得不深，好奇地問道：「什麼是菱腦夾？」

悅月白了他一眼，淡淡說道：「人的中腦和後腦交界處，被稱爲『菱腦夾』的區域分泌著Fgf 8和Wnt 1等誘導分子，作爲一個『組織部』調控中後腦的發育。」

郭心妍補上了一句：「簡單說，人的感官和意識，人體的變化等，都是經由那裡發出指令，那個地方，是人體的總指揮部。」

說到這，任天行不自禁地摸了摸自己的後腦。

郭心妍繼續說道：「萊恩家族的樣本，也差不多，但是它們的病菌，寄居在菱腦夾的成分並不多，更多的是混合在血液細胞裡面。」

Tom點了點頭，心裡琢磨道：中國殭屍動作呆板，行動遲緩，一蹦一跳的，而且意識感太弱，萊恩家族的殭屍，跟常人差不多，還能思考，它們雖然死不了，但是還有疼痛的感覺，難道這些差異，就是因爲這些病菌的原因嗎？

任天行心裡很震驚，不得不重新對郭心妍這個女人和整個SUPER組織進行估量，他沒想到，憑著他們現在的條件，居然還能做出這樣細微的分析，可見他們實力是多麼的雄厚。

湘西地區，甚至整個國家的網路系統，這陣子都做了全方位的過濾工作，以確保這裡發生的事情不被外界所知，悅月他們做這些研究，如果沒有大型的設備和充分的資源，是無法開展的。可是，他們卻做得很順利，這種關係網不知道佈置了有多少年才能有這樣的成果。

聽了郭心妍的話，任天行等待著她繼續說下去，看看自己跟其他殭屍到底有什麼不同之處。

「任天行的樣本，跟其他三個都不一樣，那個病菌幾乎分散在全身各個部位，而且每個部門都是一環接應一環，只要其中一環發生變化，就會動其他地方，把資訊傳遞到腦部菱腦夾之處！」郭心妍停頓了一下，看著悅月和Tom，深深地吸了一口氣，徐徐地說道，「最奇怪的是，那些病菌把資訊傳遞到菱腦夾後，不是病菌在做指揮，是腦細胞在做指揮，這些腦細胞沒有被病菌控制。而在菱腦夾的控制下，體內各處分泌出來一種類似營養液的東西，能把那些病菌瞬間催化成另外一種病菌，而且，變異之後，還具有還原性。」

任天行聽到此，手不禁哆嗦了一下，回想起長風沒有教自己「鬥」字訣來控制、激發自己的力量的時候，自己只有發怒的時候才能會變得強大，而且，發怒之後，自己腦子一片空白，難道這些變化，都跟菱腦夾的那些病菌有關？

郭心妍最後說了一句話：「那些分泌的液體，成分跟羊水很像，甚至比羊水更具有活性。」

「羊水?!」悅月和Tom不約而同地叫了出來。

羊水，是孕育胎兒的神奇之水，是懷孕時子宮羊膜腔內的液體，是維持胎兒生命不可缺少的重要成分。

至今爲止，科學家還沒有研究透羊水的形成，那絕對不是像現在的資料這麼簡單。一個生命體在羊水裡生存，需要各式各樣的物質和成分。

聯合國曾經做過兩個專案，一個是製作人工羊水，一個是基因複製。

這兩個項目投入了幾百億美元，人工羊水是研究成功了，但是不管是在溫室還是在真空，又或者在絕對冰點下讓一個生命體存活，成功率都非常非常的低。他們好不容易讓一隻烏龜成功孕育出來，但這烏龜居然不會吃不會走，而且還怕水，天生一個白癡，存活不到三個小時。

至於另一個基因複製的項目，也是涉及到羊水，不過，這個羊水是體內自然產生的羊水，同一個基因複製之後，兩隻同樣基因的綿羊從生下來到死亡，一共只持續了三個月。

那兩個項目之後，他們持續對羊水進行研究，但是至今，羊水仍然是一個謎。

任天行體內居然能分泌出比羊水更有活性的物質！

悅月驚得合不上嘴，小手捂在嘴上，瞪大了眼睛，嘴裡吐出了她的驚奇：「天啊！原來這樣，原來這樣！」

悅月從郭心妍的資料裡，居然發現了任天行變異的秘密。郭心妍和Tom仔細地聽著悅月緊張而又刺激的解說。

在天黑之前，悅月就收到了剛子的資料，這份資料也是剛子第一個告訴長風的，那就是韋嘯天救任天行母子兩人的記錄。

悅月把剛子給的資料簡單說了一下，之後說：「那個懷孕的婦人，在水裡漂了這麼長時間，沒有任何可以漂浮的工具，最後沒有死，肚子裡的孩子也沒有死，這點就夠奇怪的。而且，按照那個軍醫所說，這婦人受傷的情況，是在落水之前。」

「那婦人手臂上的兩個肉洞，如果是殭屍留下的，那麼……」

眾人聽了之後，面面相覷，這個假設實在太瘋狂了，就連躲在一角的任天行也不敢相信這個事實。

讓他激動的是，這是他第一次聽到自己的身世，韋叔叔這二十多年來，一句也未曾提到他的身世，只告訴他母親的墓地在哪裡。

想不到自己的母親居然死得這麼慘，爲什麼韋叔叔不告訴自己呢？任天行心裡留下了一個很大很大的問號。

悅月說道：「按照這婦人的傷勢和當時的情況，可以推算當時的情形。」

Tom緩緩地點頭，接過了悅月的話，說道：「如果那個婦人是被殭屍所傷，這就很好解釋了。」

躲在暗處的施絲，睜大了眼睛看著Tom，等著他繼續說。

郭心妍也想不通這一層。Tom非常聰明，單單是這點線索，就能讓他看清了大致的脈絡，他說道：「關鍵的地方，就在大腿內側的肌肉。」

Tom開始詳細地講了他的看法，人的大腿內側的肌肉，是涉及到人體的所有部位，把大腿內側的肌肉撕下來，就是爲了刺激整個身子的短暫血液流動。這就可以推算，當時這個婦人剛剛死亡，有人利用大腿內側的肌肉，想刺激她。

「爲什麼是剛剛死，而不是即將死呢？」

Tom沉沉說道：「只要心臟跳動，血液在血管裡就會流動，只是快慢的問題。」

根據她手臂上的肉洞，可以假設，她剛剛死亡，或者即將死的時候，有人要救她，所以咬了她一口，讓屍毒進入她的血液裡，但是屍毒還沒有蔓延到全身，她就死了。因此，那個人把她大腿肌肉給撕了下來，刺激體內的血液短暫循環，企圖讓屍毒來救她。

不過，屍毒還沒有走遍全身，只是傳到腹部的時候，這個婦人就斷氣了，屍毒在腹部裡面沉積，跟胎盤裡面的孩子接觸，因此大人死了之後，這孩子還能活著。

郭心妍終於明白Tom要說什麼，高興地拍手道：「對，如果這樣解釋，那麼，任天行變異成這麼奇怪，就不足爲奇。」

殭屍的屍毒沉積在胎盤裡面，並不能讓小孩一下間變成殭屍，因爲有羊水的保護。羊水除了提供養分之外，還具有很強的保護作用。因此，就算屍毒長期沉澱在胎盤附近，孩子也不會馬上完全感染。

韋嘯天他們說巧不巧，正好趕上了時間，把這婦人撈了起來，這婦人的孩子又及時地出世了，因此受到屍毒侵害的可能性就非常低。

但是，屍毒強大的傳染能力並不是羊水能完全保護的，在任天行的體內，從小潛藏著屍毒的成分。

郭心妍激動地接著說道：「屍毒如果想進入孩子體內，那麼羊水一定會有所抵制，這一正一邪，相互剋制地都進入體內，所以任天行一直都很正常，這就像是慢性毒藥一樣。」

「剛子給的資料，包括了任天行的身體報告，這二十多年來，任天行沒有生過一次病，而且體質要比別人強很多，身上的傷也痊癒得非常快。」悅月補充了一句。

他們的討論，十分成功地推測出了任天行的變異來源，但是一直平衡在體內的病菌爲何被打破，讓任天行變成殭屍呢？

這一點，他們怎麼也想不明白。

第158章

逆向思維

完顏無忌所在的年代，正好跟黃飛虎同一時代，只要把黃飛虎將軍的資料給找出來，說不定能把長風一脈的事情和楊落雪他們的事情找出來，找出治療殭屍的方法。

任天行呆呆在站在那裡，不敢相信這是真的，但是，又沒有任何理由反駁悅月他們的假設，因為，他們說的都是實情。

小的時候，曾因為好勝，一個人半夜爬到了軍區附近最高的那座山的山頂，最後失足摔了下來，成為軍區的熱門人物。因為，摔下來之後，他居然沒有死，而且只是輕傷，而這些輕傷，在一個星期之後就痊癒。那一次的事故，讓那些醫生足足對他好奇了好幾年。

此時，他突然間有一種很爽快的感覺，這種感覺不經意間從腦海裡流露出來，彷彿自己剛剛拿著一把劍，刺中了敵人之後那種暢快淋漓的復仇心情。

這個時候，正好長風在第三墓室看著石壁上刻著的那個「勒」字，突然感覺到肩部被人刺了一劍，扒開衣服一看，肩部那裡一片瘀青。

在這樣的心情下，任天行腦海裡又閃過了一個片斷。那是王丫頭跟著自己去追櫻子的時候，遇到五行人攔截，自己被五行人狠狠地摔在了一邊，然後就昏迷了過去，一個白衣女子輕輕地走了過來，感歎了幾下之後，從王婷婷身上用一片葉子盛了一點血，輕輕地灌到自己的嘴裡。

那一刻之後，自己就痊癒了，那一刻之後，自己就擁有了兩顆金牙！

「什麼人！」悅月大聲喝了一聲。

她聽到了一個人低沉而緊張的呼吸聲，急忙追了出來，只是出門之後，一個纖纖的身影已經竄進夜幕中。

郭心妍輕聲說道：「是個女的！」

三人相視了一眼，除了施絲，沒有第二個人有這樣的身手。

任天行沒有出現在悅月的面前。他離開悅月的住所之後，看到一個小房間裡有兩個人影還在那裡談論著，這是古晶的房間。

這麼晚了，他跟誰在房間裡面？

自從任天行從義莊那裡醒來之後，他已經打定了主意，不再公開露面，要暗地裡把這些事情弄清楚。

因此，他偷偷地往古晶的房間那裡去。

古晶和何博士正看著萊恩他們闖入囚禁櫻子的地方的錄影，嘴裡不禁嘖嘖有聲：「九菊派的這幾手，果真是毒辣，居然寧願犧牲自己的元氣，也要讓對手吃虧，只可惜她走錯了路。」

「我不明白的是，九菊派為何對『玉玲瓏』感興趣，他們這麼做，豈不是暴露了自己的身份？」何博士提出這麼一個問題，兩人把錄影給關了之後，看著屋裡這麼多的書籍，沉默了許久。

九菊派利用萊恩他們提供的資源，在F縣潛匿了十多年，這個時候應該是十分關鍵的時候，以進度來看，倉庫一號的實驗結果已經進入白熱化了，但是，「玉玲瓏」出土，居然把她們引了出來，這豈不是得不償失？

難道「玉玲瓏」的重要性會達到這個程度，讓九菊派不惜一切代價爭奪？

這是一個看起來很小的問題，但是卻不容忽視，很有可能，把這個答案找出來，就能理順整個脈絡。

古晶想不透這一點，暫時把它放在一邊，然後思量著另一件事。他說道：「長風給了我一個提示。」

在何博士詢問的眼光下，古晶徐徐地說：「他跟我聯合算了一個卦，我們所有的一切，都是一個局，一個很大的局，一套套著一套，非常的緊密。任天行已經按照卦象顯示，完全進入了這個局裡！」

何博士驚愕地看了一下古晶，自言自語地說：「誰在設這個局？為誰而設？」

兩個人沒有回答，他們根本沒法回答，這個局實在太玄、太大了。從「玉玲瓏」和「舍利子」的出土，牽扯出了九菊派的事件，任天行無意中得到的木牌，釋放出了魅姬，玄陽寺發現的大鐵鏈，尋根之後發現了被「如來般若咒」鎮住的楊落雪，然後，意外地讓楊落雪重新出世，再然後……

難道，這一切看起來巧合的巧合，並非真的是巧合嗎？兩人驚愕地看著對方，面面相覷。就連在門外偷聽的任天行，心裡也非常的震驚。

古晶突然間有了一個念頭，想到了一個方法：「不如我們去找那兩個仙子，或許可以找出答案？」那兩個仙子，自然就是楊落雪和魅姬，一個是渾身冷氣的的雪女，一個是千年狐妖。

何博士沒想到古晶居然提出了這個又荒唐又古怪的想法，嚇了一跳，瞪大眼睛罵道：「瘋子，你這瘋子，小時候你瘋得還不夠，現在都幾歲了還要瘋？」

古晶苦笑著搖頭，無奈道：「何老哥！老何！何兄弟！你怎麼思想還是這麼固化，怪不得我師父說，你天資聰穎，可惜過於保守，不適合學道。」

「保守？你知道什麼叫保守？爲什麼符咒和印訣可以產生這麼神奇的力量？爲什麼人的精神念力能對這符咒起反應？爲什麼寫的咒語要用朱砂而不能用墨水？還

有，念力爲何能控制一張紙？這些你就沒想過？」何博士瞪大了眼睛質問著古晶，最後說：「我想過，我不至於墨守成規去學道，我這幾十年來博覽群書，就是爲了研究道術。」

原來他們從小就認識！任天行心裡驚訝了一下。

兩老大眼瞪小眼，相互鬥氣，兩個人誰也不服誰，把以前小時候的糗事都一一地說了出來，甚至連古晶的第一任女友在什麼時候談，出什麼醜事都挖得一乾二淨，任天行在門外聽到這些，心裡暗自偷笑。

兩人鬥嘴，一時之間倒也把那種壓抑的氣氛驅盡。等他們再次翻尋那那些古書的時候，碰巧又發現了一些新的線索。

在一本叫《道亦道》的書上，記載了一些關於中國道家的起始。這本書的作者不詳，但是，從裡面的文字表述看來，這本書的內容很奇怪。有些引用的內容，是篆體寫的，有些詞語是要費很大精力才能把它的意思翻譯出來，而有些文字又很容易就能看懂。

這也就是說，這本書的內容，經過了很多個朝代的人解說、修正、補充等，並做了相當詳細的說明，書裡面的記載可以追溯到幾千年前。

書裡提到了關於「如來般若咒」的來源，大致的意思是這麼記載的：天地玄法，奧妙無窮，道家弟子參悟天道，數天賦最高，最能參悟之弟子無忌，其子道術之深，無人可敵，獨創咒法，名曰「如來般若」，其印訣「如來蘭花指」均霸道無比，集天地之靈力，有如神助。

古晶激動地看著這一段話，拍著何博士的肩膀，叫道：「看，看，找到了，找到了，如來般若咒，那個如來般若咒，是完顏無忌獨創的！」

想到那個楊落雪被如來般若咒禁錮，兩人不禁愕然了一下，這樣說，完顏長風是完顏無忌的後代。古晶額頭不禁冒汗，如果真是這樣，那麼長風豈不是很危險？

古晶急忙拿起了電話，可惜，這時長風已經進入了號稱「死神禁地」的戈壁沙漠中，手機已經沒有信號。

楊落雪被如來般若咒所困，就算不是完顏無忌所爲，也一定是他的後人，這點毋庸置疑。

「梅大夫惹怒紂王，賜炮烙刑，誅連九族。其弟楊伯侯爲保全一家，送上古寶物於黃將軍，中途遭劫！」古晶低聲來回地念著這句話。

讓他們不解的是，楊落雪是楊家的後人，送的寶物應該是「玉玲瓏」，又認識黃飛虎將軍，這女子應該屬於正派人士。當年，她被妲姬追殺，逼至北海之巔，雖然有兩個神秘人相助，但是還是因爲傷勢過重，不治而亡。然後，又被如來般若咒所禁，這中間發生了什麼事情？

出手相救楊落雪的那兩個神秘人又是誰？

魅姬是又怎麼被禁錮在木牌裡面的？

還有最重要最關鍵的人物，就是那個西逃的將軍，他在裡面充當了什麼角色？

「老何，你在想什麼？」

「我在想，現在咱們找到的這些線索看起來很多，但是沒有一個線索能真正下手的，照這樣查下去，不知道要查幾年！」

「你什麼意思？」古晶瞪大了眼睛，氣呼呼地看著他。

何博士笑著說：「當過長的時間研究一個東西，思維會進入死胡同，咱們不妨用一下逆向思維，看看有沒有更好的辦法！」

「逆向思維？」古晶好奇地問了一句，「請教！」

「咱們現在找楊落雪，找魅姬，找那兩個神秘人，找那個將軍的資料，都無從下手，因爲太多的文獻在我們國難百年的時候丟失了，很難下手，我們不如先把這些都放下來！」

何博士看著古晶，很認真地說：「從黃飛虎下手！」

「哎呀，對，對，我怎麼沒想到！」古晶大讚了一聲，樂道，「長風是完顏世家的人，完顏無忌所在的年代，正好跟黃飛虎同一時代，只要把黃飛虎將軍的資料找出來，說不定能把長風一脈的事情和楊落雪他們的事情找出來。」

「對，任天行的事情迫在眉急，只要能從中找到一點有用的線索，說不定能查到那個西逃的將軍。這個將軍跟莉莉絲有很大的關係，如果他也是殭屍，那麼，說不定能從中找到一點有價值的資料，幫助任天行。」

何博士點了點頭，說：「任天行變成殭屍，這是誰都不願意看到的，我們只有盡自己的能力，看能不能找出治療殭屍的方法，我們要把病源找出來。」

門口外的任天行聽到這一番話，心裡不禁感到溫暖了幾許，想不到古晶他們對自己這麼關心。

第 159 章

屍棺

屍棺就是用屍體作為棺材，古代人相信，母體是嬰兒最好的棺材。最邪門的是，嬰兒有了屍棺，在母體腐爛之後，嬰兒的靈魂就能破體而出，下一次投胎的時候，還帶有來世的記憶。

對於殭屍的研究，早就有人做了，但是一直都沒有結果，古晶他們根本就不期望能從現代科技上幫任天行，而是想把殭屍的來源查清楚，然後從源頭入手，設法救任天行。

SUPER組織一百多年來一直研究這方面的事情，但是仍然沒有進展，試想，以他們的實力都這樣無奈，古晶和何博士居然異想天開，想憑兩個人的力量去做這方面的工作！悅月他們三人對古晶和何博士做法並不認同，認爲他們一定徒勞無功，不過，他們沒有正面打擊古晶和何博士，因爲他們知道，就算兩人最後沒有成果，也算是盡了那番心意。

可是，讓悅月他們後來驚愕的是，古晶和何博士最後居然成功地查到了想得到的線索，用古晶的話說，中華五千年文明史，豈是外國人所能瞭解透的？

古晶和何博士兩人密談的時候，一個電話打破了他們兩人的談話。

「剛子?!」古晶驚訝地叫了一下，想不到這麼晚了，這小子還打電話過來。任天行在門外聽到是剛子給古晶打的電話，頓時來了精神。

「古老，這事沒辦法不打擾你，我找到新的線索了。」剛子抱歉地說了一句，之後把韋嘯天和那個婦人的事情說了一遍。

古晶剛剛聽了一下之後，立即用了擴音功能，讓何博士也一起聽了這件既古怪而又離奇的事情。

剛子看起來十分心急，還囑咐古晶，要儘快想辦法，他這邊再繼續調查，看看有沒有什麼可以幫得上任天行的。

這一番話，讓門外偷聽的任天行感激無比。

古晶掛斷了電話，一臉的驚奇，表情非常誇張地看著何博士，何博士也驚愕地看著他，良久，兩個人大聲地叫出了兩個字「屍棺」！

「屍棺?!」任天行不明白爲何他們這麼說，可是，古晶後面所說的話讓他心情無比的沉重。

古代，人死之後，用的棺材有木棺、石棺，有的富貴人家用金棺、銀棺，有些少數民族地區，甚至一些偏遠的地區，把屍體用水草裹住，然後上了封蠟，再綁上石塊沉入水裡，這是最遠古的水葬，水草又叫水棺，甚至有……

但是，屍棺只有在傳說中才有過，而且，這樣的傳說不是流傳在民間，而是從茅山派一代一代的人口中流傳的。

屍棺就是用屍體作爲棺材，成形的嬰兒因爲胎死腹中，母親就要陪葬。

古代人相信，母體是嬰兒最好的棺材。最邪門的是，嬰兒有了屍棺，在母體腐爛之後，嬰兒的靈魂就能破體而出，下一次投胎的時候，還帶有來世的記憶，重新找到自己的家。

古晶沉沉道：「任天行變成殭屍，很有可能跟他的出生環境有關。他的母親是死了之後被殭屍故意咬的，目的就是爲了救他母親，可是最後沒有成功，這個咬他的殭屍沒有想到，大的救不了了，倒是救了小的。」

「對！」何博士非常贊同古晶的推測，他們這一些推測，跟長風、悅月幾乎是一樣，但何博士後面補充了一個最重要最關鍵的話。他說：「任天行這二十多年來的行爲表現一直跟普通人一樣，是因爲他還不知道自己與眾不同，但他在軍隊表現出來的行爲，已經超越了一個尋常人所擁有的能力。任天行之所以變成這樣，一定是受到了某種激發。」

何博士徐徐地說道：「殭屍好血，這是改變不了的事實，只要讓任天行喝上一次血，他就會恢復了他的本質！」

任天行木訥訥地站在那裡，他腦海裡浮現出魅姬給自己餵了一點血液的情形……那麼，想救他母親的那個人是誰？

古晶和何博士兩人相視了一下，最後說道：「不幸中的萬幸！」

不幸的是，任天行變成了殭屍，一個有兩顆獠牙的殭屍，但萬幸的是，任天行是殭屍中的異類。他不怕陽光，不怕蒜精，他可以吃普通人吃的東西，甚至一個星期不吃東西都感覺不到餓。更萬幸的是，他擁有了一身莫測的力量，這就連五彩斑斕屍也不可能擁有。

還有，長風及時教會了他九字真言中的「鬥」字訣，讓他可以隨心所欲地控制自己的力量而保持清醒，不再需要用怒火來激發這樣的力量。

但是，古晶的一句話，讓他原本以爲自己萬幸能變成這樣而自豪的心情被打到了谷底，那就是，不能人道……

讓他哭笑不得的是，之前對付那些殭屍的時候，自己異想天開地取笑那些殭屍，說：殭屍有小ＪＪ嗎？可是，現在就算自己有小ＪＪ，不能人道，跟沒有有什麼區別！天啊，這難道就是報應？

古晶這個時候，打了一個電話給周芷慧，他們電話中的通話，彷彿又在任天行的屁股上加踹了一腳。

那電話的內容是，叫所有跟任天行接觸的人都要注意距離，因爲任天行身上的陰氣太重，如果待久了，會影響到他們身體的健康。

但是，任天行心裡還是非常感謝古晶和何博士，因爲他們要繼續爲自己尋找解救的方法，要尋找解救的方法，就要尋找殭屍形成的源頭。

這就好比大海撈針，而這個針還不一定在大海裡。說不定，這個針往海裡掉，恰恰插在了一烏龜的頭上，烏龜受痛，又恰恰爬了上岸，上了岸，又恰恰被人給逮住，逮住之後又恰恰……

沒有答案的謎題越來越多，任天行此刻想到了他在義莊甦醒的時候，前後來的那幾批人的對話……

濃重的泥土氣味，帶著一種血腥的臭味，充進了鼻子，躺在義莊裡面的任天行，漸漸地睜開了眼睛。

五彩斑斕屍消失了，精緻的別墅也成了一堆廢墟，任天行驚訝地看了看自己全身上下，除了衣服破爛之外，被五彩斑斕屍的黑指甲刮傷的地方，已經痊癒，除了有點酸麻之外，沒有感到任何不適。

自己居然陷在一個泥坑裡面，不，應該說是五彩斑斕屍把自己摔在地上，使得地面陷了一大片。

整理了一下衣服，他耳朵裡傳來了幾個人的腳步聲，這幾個人正朝自己的方向趕來。他尋思了一下，仔細一數，共三個。

他沒有躲開，也沒有站起來，反而躺下去，閉上了眼睛，屏住氣息，看看他們要幹什麼。

三個人的腳步逐漸走進，之後站在了他的身邊。

一個人用手探了一下任天行的鼻孔，然後又摸了一下他脖子上的動脈和手腕，最後，淡淡說了一聲：「他死了！」

「敏儀，妳去看看！」一個熟悉的聲音響起，任天行心裡很驚訝，這個聲音居然是高老大，而探他氣脈的那個人，是雙子。

曾敏儀緩緩地走到任天行身邊，不敢相信地探了一下他的鼻子。

確定沒氣了之後，她的手輕輕地顫抖了一下，溫柔地摸了一下他的臉，哽咽道：「任老大！」

任天行雖然一直負責刀鋒組，很少有機會跟龍牙組合作，但是兩個部門從小到大都有來往，任天行一向對曾敏儀這丫頭不錯，小時候經常偷偷地帶這丫頭上山打鳥。如今，曾敏儀看到任天行的「屍體」，想起了小時候的事情，居然悄悄地落淚。

高老大和雙子兩人靜靜地看著敏儀，良久，高老大才開口說道：「敏儀，時間不多了，幹活！」

任天行感覺到敏儀在流淚，心裡還挺高興，想不到居然還有人爲自己哭，正得意著，突然間聽到高老大說「幹活」兩個字，差點沒把他給嚇得醒了過來。她們要幹嘛？該不是要對自己開膛破肚吧？不會，一定不會，如果是這樣，憑著跟曾丫頭的交情，她一定會竭力反對的。

曾敏儀微微點頭，立即從身上掏出一個注射器，打開了消毒蓋，輕輕地把針頭插到任天行的手臂上，抽了一些血液，然後收拾好，對任天行說了一聲：「任大哥，您走好！」

稀稀落落的泥土蓋在了任天行的身上，任天行逐漸感覺到身上的壓力變大。被冰冷的泥土遮蓋，任天行居然感覺到異常的舒服，渾身彷彿就像剛剛給人「馬殺雞」過一樣。

高老大看著新建立的墳墓，歎了一口氣，這時手機響了。

「小高，事情辦得怎樣了？」

「韋叔叔，敏儀已經過來幫忙了，血液樣本到手了！」

任天行聽到他們兩人的對話，手不禁哆嗦了一下，來電的那人居然是韋嘯天，這個從小養大自己，把自己當成親生子的韋叔叔。

任天行心裡不由得一痛，如果真是韋叔叔，他知道自己死了，爲什麼不會傷心？爲什麼還要叫高老大他們來拿自己的血液？

一時之間，他感覺到極度失望，甚至茫然。

「好，妳們馬上把血液樣本拿回破天進行研究。」韋嘯天的語氣顯得有點激動，也有點高興。

「是！」高老大掛斷了電話，對著雙子和敏儀說道，「我們走！」

「高大姐，妳們先回去吧，我想在這裡坐一會兒！」曾敏儀看著任天行的墓地，低聲地跟她們說。

高老大和雙子相視了一眼，最後點頭道：「別待太晚，妳儘快回來，這個研究需要妳來主持。小心點，別讓周芷慧知道妳跟我們在一起。」

第 160 章

無名是誰

「無名」是誰？任天行給這楊落雪弄得一頭迷霧，而後面不久又來了一個人，讓他更加迷茫。他腦海裡想著魅姬的那句話，心裡震撼道：任將軍？無名？任無名？他是誰？

高老大和雙子走後，曾敏儀低聲地哭泣，任天行憫心大起，實在不想騙這丫頭，正想起來，突然曾敏儀開口說話了：「任老大！」

任天行心裡一震，難道曾敏儀知道自己是裝的？

曾敏儀停了幾秒鐘，最後低著頭改口說道：「我應該叫你任大哥，我現在好迷茫！你走了，天下間沒有人再真心地疼我了。」

她低聲地哭泣著說道：「可能你已經忘記了我們小時候去山上摘桃的事情，但是我一直記得。那一天，我只是嘴饞，想吃桃，你居然一個人在晚上的時候，爬到山頂去找那棵桃樹，後來我聽說你失足落下了山，進醫院搶救，足足擔心了三天，你怎麼這麼傻！」

「那三天，是我最痛苦的三天，我每天都在軍區的那棵大槐樹下呆呆地看著醫院，我不敢進去，怕聽到你不測的消息，但是，我又很想見你，我知道我錯了，那個時候我就對自己發誓，以後不會再任性，讓你受累。」

任天行想起了當年自己頑皮的事蹟，想不到這丫頭還記著，心裡暗叫道：小丫頭，想不到妳還挺有良心，連這麼點芝麻小事也記在心裡。

「你知道嗎？第三天，我聽說你居然沒事，奇蹟般地好了，我真的好高興！」

曾敏儀呆呆地看著這個新建的墳墓，緩緩地坐在旁邊，摸著墳墓，惆悵地說道，「那一天，我真的好高興，因爲你沒事了。現在，我也好希望你沒事，好希望再像那天一樣，能看到你沒事，可是，可能嗎？」

「你還記得不記得，我過十歲生日的時候，韋叔叔送我去一個研究所學習？我是多麼希望跟你一起過這個生日，可是那天，沒有生日蛋糕，你卻送給我了最大的禮物。你還記不記得？」

曾敏儀滿面淚水的臉上，此刻居然顯出了一絲暖暖的笑意，她靜靜道：「二連的蘇教官在我們面前說了一句我不愛聽的話，當時你居然跟他打了起來，你才十二歲，居然有膽量跟一個職業教官挑戰、單挑，而且，居然把一個職業教官打得滿地找牙。當時，你不知道我有多開心。我開心的不是你把蘇教官給打敗，不是你的身手敏捷，而是……你對我真的很好！」

「丫頭，那蘇教官就是個鳥人，就是個狗屎，早看他不順眼了，這樣的人要是不欠揍，誰欠揍！」任天行心裡對著她喊著。

曾敏儀沮喪道：「我們長大了之後，我不能再叫你任大哥了，只能隨著人家叫你任老大，可是，你在我心中，永遠都是我的任大哥。」

「我知道我不該哭，也不能哭，這是你以前教我的，這麼多年來，我都記著，我一直都沒有哭，再苦再累，再委屈的事情我都忍了下來，可是現在我忍不住，我不是存心的，我不是不聽你的話！」曾敏儀突然間眼淚直流，這一番哭訴，讓在地底下的任天行眼裡充滿了淚水。

曾敏儀哽咽了幾下，強忍著把眼淚給止住，最後，她冷靜了下來，帶著哭腔說了一句讓任天行心寒的話：「雖然我跟你都是韋叔叔收養的，但是，你知道嗎？韋叔叔從來沒有真正地關心過我們。」

「你知道嗎？你失足的那天，韋叔叔只去看過你一次，他的表情好奇怪。」

「你知道嗎？你今天出事了，他居然沒有平常人應該有的悲傷，他關心的是，儘快抽取你身上的血液做樣本！」

「你知道嗎？你的身世，他一直都沒有告訴你。我感到很迷茫，爲什麼韋叔叔會這樣，是我觀察力不夠，還是他真的這麼鐵石心腸？我漸漸感覺到，他對我來說，真的很陌生。」

任天行忽然湧起了一絲絲的悲傷，聽到這些話，心裡涼了一大半。他原本不想欺瞞曾敏儀，想出來跟她說清楚自己沒事。可是，聽到這一番話，他否決了自己的想法，他不能讓任何人知道自己還活著，他要偷偷地在暗處，把這些事情查清楚。

曾敏儀走了之後，又一個人悄悄地來到了他的墳墓旁，輕飄飄地落在了旁邊，任天行感到自己的心窩被一種很暖和很暖和的力量給包住。來自那人的力量，試圖想拯救任天行。

任天行沒有反抗，也沒有抵抗，順其自然。過了幾秒鐘，那股力量消失了，那人輕歎了一口氣，說道：「我來晚了！無名，實在對不起，我救不了他，欠你的這份人情，只能用另一種方式還你了。」說罷，轉身就走，留下了一句話：「任天行，我會爲你報仇，讓他們給你陪葬。」

這人居然是楊落雪！任天行心裡非常震驚，她怎麼會來救自己？這個「無名」跟自己有關係嗎？爲什麼她欠了這個人的情，要救我來還這個人情呢？

她嘴裡說的「無名」是誰？

任天行給這楊落雪弄得一頭迷霧，而後面不久又來了一個人，讓他更加迷茫。楊落雪走後不久，雪兒來了，這個被楊落雪稱爲魅姬的女人。

她靜靜地坐在墓地旁邊，嘴裡喃喃念著一些莫名其妙的話，然後手輕輕一揮，一團閃爍著的光影沒入墓中。

任天行全身被這光影給罩住，只是幾秒鐘的工夫，光影消失得無影無蹤，魅姬臉色沉了一下，說道：「來晚了！」

「沒想到五彩斑斕屍這麼厲害！」魅姬沉沉地說了一句，最後淡然道，「我把那些殭屍喚醒，只是為了讓他們幫我尋找壽哥，沒想到害了你。」

魅姬幽幽的一聲歎息：「我不殺伯仁，伯仁卻因我而死。當年無名待我不薄，任天行是他後人，我居然沒能救他，任將軍，我愧對於你啊。」

聲音漸漸地走遠，任天行忽然從墓裡爬了起來，腦海裡想著魅姬的那句話，心裡震撼道：任將軍？無名？任無名？他是誰，他是誰？

帶著這個疑問，他把一個包裹帶上，裡面有在義莊的別墅裡發現的一件衣服，這衣服上面，還有一個「任」字。只是，他想不明白的是「破渡劫」三個字是什麼意思。倘若他現在知道渡劫是長風的父親，說不定後來就不會和長風對決於鳳凰山之巔了。

他決定去找悅月和古晶，現在只希望他們兩個人能幫助自己。

到了軍區之後，他正好看到了四個人影悄悄地飛進軍區，也隨著跟了進去。施絲發現了他們的蹤跡之後，兩幫人已經交手了，任天行眼睛緊緊地盯著施絲，只要施絲一有不測，就會出手相救。施絲依靠著靈活的身法，把兩個西方殭屍搞得團團轉，任天行微微放下了心，隨即感應到有人來了。

來的正好是周芷慧他們，幾番交手之後，任天行看到大石頭和黃風兩人扛著火箭炮去追那三個殭屍，不禁又氣又笑，這兩個活寶真的不知道死字怎麼寫。

任天行並沒有把事情做絕，他要留下一個活口，利用這個活口，去給他傳話，這樣比做絕了更有用。

山姆倉皇逃跑，讓任天行十分得意，因爲他知道，山姆逃不出自己的掌心，只要他還在F縣，自己隨時可以找到他。因爲他的鼻子聞到了一種特殊的味道，只有殭屍才具有的味道，山姆只是他的一顆棋子。

任天行已經能控制住自己的身體，這得益於長風教他的「金剛薩埵法身咒」，而讓他領會到九字真言裡面「鬥」字訣的精華，整個身體在這個字訣裡面控制自如，就連古晶都感覺不到他的存在，因爲，他的身子已經不是凡體，沒有任何氣息。別說人氣，就連鬼氣也沒有一分。

任天行離開了軍區，追尋著那股氣味。

他現在要找的，就是他的那顆棋子——山姆！

山姆絕對是那種貪生怕死的人，它第一次體會到了死亡的恐怖，任天行身上散發出的那種讓它感到絕望、無助的氣息，絲毫不遜色於主人肖恩，使得它幾乎崩潰。

山姆是個聰明人，它現在考慮的是，怎麼回去跟主人交代。萊恩詹姆斯、艾達門，是主人欽點，而梅森達斯，是法國梅森家族年輕一代的佼佼者，這三個人出了事，自己無論如何也脫不了干係。

「萊恩詹姆斯三人是怎麼死的？」殷達明看著山姆，試圖從它眼睛裡找出一點疑點，但是山姆談起任天行的時候，眼睛裡流露出一種敬畏的眼神，殷達明心裡已經隱隱感覺到，不像山姆說的這麼簡單。

山姆自然不會說自己是逃出來的，他強辯道：「殷先生，事情的經過就是這樣，對付其他人，我們根本不放在眼裡，我一個人被他們一群人給纏住了，這任天行實在太狡猾了，居然用偷襲這樣卑鄙的手段，萊恩他們三人就是死在這個人手上，等到我解決了那幫人之後，任天行見到我就跑了。」

「嘿嘿！」殷達明冷笑了一聲，淡淡問道，「東西拿到手了沒有？」山姆的話殷達明一點都不相信，心裡罵道：你還真當我是傻瓜不成？詹姆斯、梅森和艾達門

三個的實力跟你相差不遠，任天行能這麼輕易地殺了它們，你以爲你能逃得脫？

「櫻子已經被我親手殺死！」山姆迎著殷達明的眼光，說這話的時候，居然臉不紅心不跳，繼續說道，「殷先生，不用急，很快我就能把東西給您，不過，我需要您幫個忙。」

山姆不理會殷達明不滿的眼神，似乎不擔心殷達明不答應，說道：「殷先生能不能幫我跟主人解釋一下萊恩詹姆斯三人的事情？」

「你認爲可能嗎？」

「殷先生是個聰明人，您一定不會拒絕幫我這個忙的。」山姆很自信地看著殷達明，緩緩說道，「這十多年，我給殷先生辦了不少事，比如，每次我們家族撥的那些款額啊，都是我經手的。我得先向殷先生道歉，我的眼睛看到了一些不該看到的東西，不過沒關係，我這人記憶力不好，很容易就會忘記。」

「你……」殷達明臉色一變，想不到山姆居然用這個來威脅他。

山姆很紳士地鞠了一個躬，一臉歉意：「很抱歉，我記憶力不好，我忘記我剛剛說過什麼了。以後也許會想起來，以後也許真的什麼都想不起來了。」他有意無意地看了一眼殷達明。

殷達明一臉鐵青，冷哼了一聲。任天行在外面偷偷地聽著他們兩人的對話，他早就猜到山姆不會馬上離開湘西，放走山姆，就是爲了看看這個棋子會給自己帶來什麼樣的好處。

果然，真的把殷達明給牽扯進來了。

只是沒想到，這殷達明居然心狠手辣，在沒有任何預兆之下，殷達明拿出一把槍，對準山姆的心口就是一槍。

山姆不敢相信地瞪著眼睛看著殷達明，臉上的皮膚漸漸乾癟，指著殷達明顫顫地說道：「你……你……萊恩家族不會放過你的。」

第161章

殷達明變身

殷達明聚集了精神，對著任天行仰天狂吼，兩顆亮白的殭屍牙漸漸地露了出來。任天行驚訝之外，心裡有些許喜悅，這麼多長期困惑著自己的謎題，答案就在眼前這個人的身上。

說完之後，山姆的屍體漸漸地萎縮，發出一股股青煙，整個身子就像是被強酸腐蝕一樣，化成了一堆灰燼。

殷達明昂天大笑，他狠狠說道：「告訴你，沒有人能威脅得了我！這些蒜精子彈，早就為你們準備好了！萊恩家族的人，以後只會去找任天行算帳，沒有人會懷疑我……」

「是嗎？」任天行打斷了他的笑聲。突然間推開了門，任天行微笑著看著殷達明，說：「殷縣長好厲害的手段。」

殷達明就像被別人抽了一耳光一樣，沒想到有人會衝進來，一臉怪異地說道：「你……你，你什麼時候來的？」

「你們聊天的內容很有意思！」任天行重重地重複了一句，「很有意思！不過，你怎麼都算不到我會在場吧。」

殷達明臉色一陰一陽，眼睛咕嚕咕嚕地轉，不知道在打什麼主意，最後微笑道：「那是當然，以任警官的本事……」他話音一停，「砰」的一聲，居然在笑意之中向任天行開了一槍。

兩人距離不到十米，子彈速度非常快，一下打在任天行的身上，任天行冷不防挨了一槍，捂著被打中的腰部，額頭汗水一下間冒了出來。

殷達明桀桀地獰笑，說道：「任天行，你還嫩了點。」

「你……」任天行大怒，但是說不出話來來，原本白淨的臉蛋變得越來越暗淡。

殷達明狂笑著，臉上堆滿了得意：「任天行，我本來不想殺你，要不是你知道了我的事，我還可能幫你認祖歸宗，幫你完成你的使命，可惜，可惜！哈哈哈！」

任天行愕然地看著殷達明，痛苦地看著殷達明，迷惑道：「認祖歸宗？」

殷達明咧著大嘴，獰笑著說：「別人都說你是超級員警，哈哈哈，連自己的祖宗是誰都不知道，真是一隻可憐蟲！」

「求我啊，求我啊，只要你求我，我就告訴你，哈哈哈！你看你一副孬種的樣子，跟你爸一樣！」

任天行萎縮著身子蜷了起來，在地上不斷地抖動，聽到殷達明提起他父親，眼裡偷偷射出一股亮光，但隨即刻意地掩飾住了。

任天行臉色越來越差，聲音變得嘶啞，擠出最後一絲力量看著殷達明，狠狠地擠出了三個字：「你休想！」

殷達明笑瞇瞇地看著他，見到任天行痛苦的樣子，似乎很享受，腦光一閃，蹲了下來，在任天行的耳邊低聲說道：「你別以爲死了就能一了百了，我告訴一些事情，讓你死不瞑目，嘿嘿。」

他看到任天行身上掛著的一個包裹，拉了出來，那是一件很舊很舊的戰袍，不知是哪個年代，但是殷達明對這衣服似乎很熟悉。他慢慢地把衣服展開，對著任天行似笑非笑地說：「我供在神壇上的衣服，居然也讓你發現了，不錯，不錯，出乎我的意料。你知道這衣服的主人是誰嗎？」

「任無名！任大將軍！」殷達明看著這衣服，唏噓了一陣，說道，「那是你的先祖，一代一代地傳了下來，一直到你老爸的手上。」

殷達明見到任天行身子微微顫抖，臉色突然間凝重了起來，真怕任天行就這麼死了，急忙說道：「你看，你看這三個字，知道是什麼意思嗎？哈哈哈，破渡劫！那是你爸寫的，不過你已經快灰飛煙滅了，別指望著報仇了！渡劫，你知道是誰嗎？他就是殺死你爸的兇手！」

「你，你到底是……是誰？」任天行不敢相信，這殷達明居然對自己的先人瞭若指掌。

殷達明非常興奮，玩賞著那戰衣，對任天行吼道：「如果任無名知道他的後代這麼孬種，連父仇都報不了，你猜他會有什麼感受，哈哈哈！更可笑的是，二十多年了，居然連自己的父母是誰都不知道！韋嘯天那小子也真是夠絕，居然做到這個份上，嘿嘿！」

任天行瞪大了眼睛看著他，死寂般的眼睛盯在殷達明的臉上。

殷達明被他盯得全身起雞皮疙瘩，雖然他知道任天行已經快不行了，但還是感覺到了那種來自內心的驚恐。

他桀桀地笑道：「任天行，別不服氣，你別怨我，死在我手上，總比死在你另一個人的手上好，你沒機會了，我就是讓你死不瞑目！」

「你知道另一個人誰嗎？他就是你的好朋友完顏長風！」殷達明高聲地叫著，「死在他手裡，你會死得更慘！你知道爲什麼？你不知道？你天生就是一個白癡，一個被人蒙在鼓裡二十多年，連自己父母是誰都不知道的孬種！我今天做個好事，告訴你一個秘密，渡劫，他複姓完顏！」

任天行身子震撼了一下，嘴裡喃喃道：「渡劫？完顏？完顏渡劫！」他總算把名字給一下串起來了。

殷達明點頭說道：「不錯，就是完顏渡劫，他跟完顏長風是父子！你老爸就是被他殺的，你老媽的死，跟他也有很大關係！」

「不是的，不是的，我不信，我不信！」任天行低沉地吼叫著。

殷達明得意地哈哈大笑，他斜視著任天行，獰笑道：「你自然不信，因爲你連你父母是誰都不知道，你有什麼資格相信！」

殷達明說到此，愕然地合不上嘴，周圍突然生出了一種很強的壓抑感、憤怒感。他眼睛緩緩地放在了任天行的身上，一副不可置信的樣子。

是，這種壓抑感來自任天行，更讓他驚愕的是，原本痛苦無比，蜷在地上的任天行居然慢慢地站了起來，晦暗的臉色逐漸變得潤紅了。他緩緩地把捂在身上的手給慢慢地伸了出來，手掌一張，一顆彈頭噹的一下掉在了地上。

這一下，輪到殷達明驚慌了，他的臉色漸漸拉了下來。任天行剛剛是裝的，他根本沒被打中，更誇張的是，他居然用手接住了那子彈，然後假裝中彈的樣子從自己的嘴裡騙出了這麼多秘密。

「你……你……」殷達明嘴唇直顫，結結巴巴看著任天行，半天說不出話來。

任天行就像佈滿了一層淡淡的寒霜，兩隻眼睛就像利刃一樣，停留在殷達明的臉上，殷達明被這種眼神嚇得心裡直打哆嗦，他終於知道了爲什麼只有山姆一人能回來的原因。

「砰！砰！砰！……」連續十發子彈，殷達明連連扣動扳機，手槍裡的子彈朝任天行射去。

他居然還圖著僥倖，心想只要一發子彈打中就可以制住任天行。

任天行的手揮了兩下，盯著殷達明，手掌漸漸地張開，所有的子彈都被他接在手心上。他把子彈一顆一顆地扔在地上，渾身上下散發出一種霸氣，一種高高在上的王者之氣。

「我的父母是誰？」

殷達明被任天行的這種霸氣嚇得心底發毛，渾身上下都不對勁。這是怎麼回事，難道自己還真怕這小子？他心裡自己問自己，勉強聚集了精神，對著任天行仰天狂吼，兩顆亮白的殭屍牙漸漸地露了出來。

任天行手心微微一動，身上一股涼意冒了上來，嘰咕彷彿無處不在，只要任天行有了感應，它就會出現。

嘰咕看著殷達明冒出兩顆牙齒，自己也對著它怒吼了一聲，潤紅的小臉咧著兩顆金燦燦的牙齒，狠狠地盯著殷達明，之後就像青蛙一樣向殷達明那裡一跳。

殷達明本能地反應，後退了兩步，咧著嘴掄起一拳朝嘰咕打過去。

「噗哧！」

嘰咕就像一個水氣球一樣爆炸開，化成了千萬點小珠，形成了一個網狀的東西，結結實實地黏在殷達明身上。

這些小珠就像是吸血蛭，不停地吸著殷達明的陰氣。嘰咕緊緊地抱著殷達明，試圖把他給擠扁了。

讓任天行驚訝的是，這殷達明居然低吼了幾下，兩眼冒出了一股火焰般的怒氣，兩個鼻孔漸漸地冒出了青煙，微微一動之後，就像獵豹一樣快速朝任天行撲來。

嘰咕的力量不容小視，就連紅毛殭屍都被它纏得動作遲緩，這幾天嘰咕似乎變得更加強大，但是殷達明居然不受影響。

任天行喉嚨裡悶響了幾下，「鬥」字訣被激發開，整個身子充滿了鬥志和力量，迎著殷達明也衝了上去，兩人在眨眼之間，拳腳相互交手不下百次，速度之快，肉眼根本就看不到。

「噗哧！」

兩人各自後退了一步，殷達明哈哈大笑：「乳臭未乾，我還以為你有多大能耐！」他和任天行這一交手，心裡安定了許多，這任天行也不過如此。

任天行謹慎地看著殷達明，對這個對手，他不得不重新估量。這個殷達明不僅僅知道自己的很多事情，而且，F縣前後發生的這麼多的事情，他一定是一個重要關鍵的人物。

自己從進入F縣就被瘴毒所侵，大石頭說自己在昏迷的時候，這個殷達明曾經來看過他。更關鍵的是，他跟殷小菡的事情一定有不可告人的秘密。

被封在黑屋大柱裡慘死的殷小菡曾經說過，爲了救她，殷達明帶著一幫人去泗水村尋找「玉玲瓏」，進去之後，只有殷達明和賴八活著出來。

任天行驚訝之外，心裡有些許喜悅，這麼多長期困惑著自己的謎題，答案就在眼前這個人的身上，只要能制住他，自己的身世就清楚了。

第162章

舊事

任天行狐疑地看著殷達明，他的背上面一大片肉幾乎沒有了，這是一個圓形的太極痕跡，太極裡面的肉幾乎都是空的，可以看到肌膚裡面的白骨，而周圍是一層層肉焦的痕跡。

殷達明第二次跟任天行交手的時候，已經知道自己犯了一個非常錯誤，那就是輕敵。他以爲任天行不過如此，之前那股霸氣只不過是個噱頭，中看不中用，因此毫不在乎，可是等到再次去抵擋任天行的拳頭的時候，發現身上的那個小東西居然發出了一種強大的黏性，自己聚集的力量有一大半被這小東西給抵消掉。

嘰咕很要強，第一次對殷達明這人也大意了，但是這次，它把自己能夠產生的力量給全部用上，使勁地吸收這個人身上的力量，兩頰通紅通紅的，那錐形的腦袋不斷東搖西擺。

「嘭！」

兩團氣浪相撞之後，形成了一個大漩渦，周圍的東西被捲得到處亂飛，任天行金色的牙齒顯得格外的妖異，這一次，他使勁了全力，以「鬥」字訣激發了全身的潛能，企圖一下把殷達明制住。

他沒有避開殷達明打向他胸口的拳頭，反而迎了上去，結結實實地吃了一拳，然後，他的一拳也結結實實地打在殷達明的胸口。

凌厲的拳勁透過殷達明的拳頭，衝進了任天行的身體裡，讓任天行整個身子都震了一下，一顆心就像是被人用手狠狠一捏，感到刺痛、脹痛，渾身的麻木。他驚訝地看著殷達明，沒想到這傢伙會這麼霸道，被嘰咕纏住居然還這麼厲害。

殷達明原本得意傲然的臉色，在任天行這一拳之下，立馬變得晦暗，但是讓他想不到的是，任天行打中他之後，以拳化成掌，用上了軍隊裡所學的擒拿手，兩手扣在了自己兩臂之手，「哧哧」兩手，從手臂拉向了手掌，衣袖伴著火花燃燒了起來，手臂上五條深紅色的血印赫然立現。

任天行在殷達明的膝蓋處補上一腳，讓他倒了下來，然後反扣住他的手，淡淡地問道：「我的父母是誰？」

「哼！」殷達明冷哼了一聲，沒有說話。

任天行微笑道：「殷縣長，你不會不知道我是什麼出身的吧？我告訴你，我最擅長的就是審問。」

看到殷達明不屑的眼神，任天行哈哈大笑，說道：「你以爲你不是人我就拿你沒招嗎？我現在也不是人，對付不是人的人，我一向有自己的一招！」

「咞嚓！」

兩聲清脆響亮的骨頭聲音，任天行把反扣的手提了起來，肩關節咯咯地響，最後是一聲脫臼的清脆聲。

殷達明皺眉了一下，似乎無關痛癢。

任天行嘿嘿笑了兩聲，之前在賓館裡面對付櫻子的手段，只是小菜一碟，經驗豐富到了極點。

殷達明已經被制住，可是依然沒有放棄掙脫，嘴裡低吼著尋找機會。但是任天行更聰明，反手扣住殷達明，他要是想掙脫，除非不要這兩個臂膀。

任天行歎了一口氣，說道：「殷縣長，咱們無冤無仇，我只不過想盡盡孝道，我看過你檔案，這十幾年你執政還算清廉，做了不少事，雖然你是殭屍，但是目前爲止，還沒有人知道你的身份。只要你告訴我我想知道的，我想咱們應該沒有衝突，因爲我跟你是同類。」

任天行看到殷達明臉色一鬆，眼光放在手上。他嘴角微微一笑，突然間一抽手，把殷達明手指上那黑色發捲的指甲活活地卸了下來一個。

指甲、牙齒和心臟，是殭屍的命門所在，任天行看到這指甲，想到自己被五彩斑斕屍的指甲所傷，腦海裡頓時有了主意，就是拔掉他的指甲。

果然，任天行得到了想要的效果，殷達明的指甲被拔，瘋狂地慘叫了一聲，全身肌肉抽動，七竅流出一股青色的液體。

任天行是個逼供老手，對於這些人掌握得十分淸楚，像殷達明這種不到黃河心不死的人，只能一張一弛地逼他，要把他心底那種僥倖的心態折磨得一絲無存，才能得到自己想知道的東西。

「哧！哧！」

又兩條指甲從手指上卸了下來，殷達明幾乎是跳著吼叫，兩眼的眼珠黑的比白的多，一股青煙從眼孔裡冒了出來，嘴角、耳朵、鼻孔又流出了一股股青色的液體，液體滴在地上，居然「嗞嗞」作響，這青色液體帶有強烈的強酸腐蝕。

「任天行，有種你一下把我殺了。」

任天行哈哈大笑：「殺了你，豈不是如你所願？自從你成爲殭屍之後，一定體驗了求死不能的滋味，現在，我會讓你體驗什麼叫求生不能、求死不得。」任天行說完，把自己扔在地上的蒜精彈頭給撿了起來，煞有介事地在殷達明眼前晃動。

「你不能這麼對我，你不能這麼對我！」殷達明撕心裂肺地吼出了這麼兩句。

任天行鬆了一下手，冷冷地看著他，淡然道：「給我一個理由！」

「我是你的恩人，你不能這麼對我！要不是我，你也不能活到今天！」

任天行冷笑了一下，不理會他，眼光放在第四個手指的指甲上，慢慢地摸著指甲。每碰一個指甲，殷達明全身顫抖一次，心理防線正在慢慢地減退，嘰咕嘍的一下，趁機融進了他身體裡面，大口大口地吸著他身體裡的那股陰氣。

「你父親叫任無垠，你母親叫慕容小倩，你先祖叫任無名！」殷達明見到任天行碰著自己的另外一個指甲，不禁全身哆嗦，吼了出來。

任天行心裡沉了一下，嘴裡不停地反覆道：「任無垠！慕容小倩！」

殷達明喘著氣，自己的三條指甲掉落，已經大傷元氣，如今又被嘰咕入體侵蝕陰元，覺得渾身虛弱，終於明白了爲何主公要他小心任天行。

他悶聲咽了一口氣說：「當年我路過廣西十萬大山的時候，碰到了一次驚天動地的較量，兩個三十多歲的人不斷地交手，我遇見他們的時候，他們已經交手了一天一夜。那一場比鬥我永遠都不會忘記，其中一個叫完顏渡劫，另一個叫任無垠！除了兩個人之外，還有一個大腹便便，即將臨產的女人在一旁觀望著，這個女人就是你母親慕容小倩。」

「不會的，不會的，你騙我！」任天行突然間有點激動，吼叫道，「你騙我！」隨著這一聲吼叫之下，一聲慘叫隨之而來，任天行再次拔下了殷達明的第四條指甲。

殷達明痛聲慘叫道：「你不能這麼對我，要不是我，你母親早就死在完顏渡劫的掌下，你以爲你能活到現在?!」

「我當時饑渴極了，我已經一個星期沒有血了，但是我不敢出來，那個完顏渡劫實在太厲害了，我只要一出現，他一定會收拾我。因此，我只能等他走了之後，才敢出來。你父親慘死在完顏渡劫的掌下，半邊頭被他一掌打得陷了下去，腦漿流得滿臉都是！你父親死了之後，他沒有放過你的母親，我知道他不想殺你母親，但是他最後還是下手了！」

「他爲什麼要下手殺一個懷孕的婦人？」任天行厲聲喊道。就算有天大的仇恨，天大的恩怨，也不應該累及家人，而且還是一個婦人，一個大腹便便的婦人。

殷達明看著任天行幾乎瘋狂的樣子，怕他激動的時候又做出不理智的舉動，爲了讓他不再拔自己的指甲，殷達明急忙回答道：「我不知道，但是我看得出來，完顏渡劫也算個漢子，他看了你母親良久良久，都下不了手，最後是流著淚，輕輕地一掌打在你母親的腦殼上。」

任天行心裡似乎被堵上了什麼，他只感覺到難受。什麼叫漢子，這完顏渡劫連婦孺都殺，還叫漢子?!

「你母親從頭到尾都沒有向他求饒，臨死的時候，還抱著你父親的屍體，我當時無比饑渴，因此我咬了你剛剛死去的母親。」

看到任天行眼睛裡閃出一絲兇狠的光，殷達明急忙說道：「不是我殺你母親的，我只是想救她，我咬她只是想救她。你要知道，她被完顏渡劫一掌打下去，根本沒有活命的機會，剛剛死的時候，血液還是熱的，我要是想吸血，直接咬她脖子的大動脈，能吸到更多更香的血，可是我沒有！」

「我只是咬了她手腕處的動脈，吸了一口血，然後把我的血液給她傳過去，我希望能救她，因爲佩服她！」說到此，殷達明臉上居然出現了一絲紅潮，最後，他痛惜道，「可是，那完顏渡劫下手太重了，就算我想救她，想讓她變成殭屍，她的血液已經黏稠了，已經不流動了，爲了讓我的血液進入她的心臟，我撕了她大腿內側的肌肉！」

「你最後還是沒有救得了她！」

殷達明抬起了頭，看著任天行說道：「不是我救不了她，而是在我救她的時候，完顏渡劫又回來了，他抱了一堆乾草回來，就是爲了要把你父母火葬！如果他再晚上十秒，哪怕是十秒，我就可以成功救她！」

任天行冷淡地說：「你要我怎樣相信你的話？」

「你可以不信，但是，以你在刀鋒的背景，查這件事，應該不難。而且，你看看我的背部就知道我說的不假。」

任天行狐疑地看著殷達明，最後撕開他背上的衣服，他的背，基本不能叫背，上面一大片肉幾乎沒有了，這是一個圓形的太極痕跡，太極裡面的肉幾乎都是空的，可以看到肌膚裡面的白骨，而周圍是一層層肉焦的痕跡。

「這就是完顏渡劫給我留下的！我抱著你母親逃亡的時候，完顏渡劫在背後追殺我，到我跑不動的時候，我把你母親扔在激流的水裡，如果屍毒能入侵到她心臟，那她一定會醒來，不管如何，只要有一絲機會，我都不會放過。只是我沒預料到的是，發現你母親的，居然是韋嘯天，而更讓我意外的是，我沒救得了你母親，卻救了她腹裡的孩子，就是你！」

看著這個幾十年前的傷痕，任天行沒有說話，這樣的傷，不是每個人都能承受的，他沒有必要爲自己找藉口。

第163章

合作

一個蒙著臉的男人，突然出現在殷達明的面前，沒有預兆，沒有腳步聲，沒有一絲人氣。這個人身上散出一種讓人不寒而慄的氣勢，這種氣勢，充滿了殺氣、戾氣、霸氣、邪氣、王者之氣。

任天行沉默了良久，心裡生出一絲感激，有放過他的念頭，可是這樣的念頭剛剛起的時候，嘰咕瞬間回到了他腰間的那把槍裡，一股清澈的感覺頓時把自己給激醒了，讓他心裡大撼：惑術！

殷達明在和任天行的談話中，用上了惑術！這是一種比心理催眠更厲害的催眠術！任天行念起了「金剛薩埵法身咒」，這是「鬥」字訣的咒法，除了能激發人體鬥志之外，還能保持腦部清醒。這就是爲了讓任天行在變異的時候，還能維持著清醒的頭腦，而不像之前只有等到發怒才能激發自己的異能。

任天行臉上沒有露出任何表情，淡然地問道：「殷小菡是你女兒？」

殷達明驚訝地看著任天行，微微地點了點頭，臉色神傷道：「她失蹤了十幾年，我一直找不到她。」

「我見過她！」

任天行的話讓殷達明大吃一驚，瞪大了眼睛看著任天行，眼角留流出一種淡青色的液體。他吞吞吐吐地說：「真的？真的？她在哪裡？她在哪裡？」

說話間，殷達明暗自發出的那種惑術漸漸消失了。那淡青色的液體，是淚水和那帶有強酸性的青色液體融合在一起的，看著殷達明激動的樣子，任天行心裡軟了幾分，把自己和長風在黑屋遇到殷小菡的經過說了一遍。

殷小菡是被人折磨死的，死得很慘！

她被人用麻繩綁得嚴嚴實實的，然後用蠟燭滴在麻繩和身子上，就像把她給封起來一樣。更慘無人道的是，他們還找來了水銀，灌入殷小菡的嘴裡，整整灌了一大壺，然後用膠布把殷小菡的嘴給封了起來，再用蠟把整個臉都封閉了。水銀進入腹中之後，因爲膨脹、沉澱，漸漸地侵入她的雙腿上，臨死的時候，身體血液的流動，把水銀又送到了全身各處。

死前受盡折磨，死後讓屍體受盡蠶噬之苦，還不能讓靈魂靠近自己的屍體，因此亡靈不能投胎，這種手法歹毒至極。

殷達明幾乎是用著絕望的眼神聽著任天行說完，上下牙齒咯咯地打顫，良久才怒吼道：「賴八，九菊，我要你們不得好死，我要你們不得好死！」

那吼叫聲帶著殷達明極端憤怒的氣息，在四周迴盪，殷達明幾乎用盡了全身的力氣，透過聲帶把自己的怨恨發洩了出來。

過了半晌，殷達明才恢復了一點神智。

任天行輕聲地說了一句：「除了這個殷小菡，還有另一個殷小菡，她還活著！」

任天行把破天的那個殷小菡詳細地說了一遍。

殷達明緊張地問著各種殷小菡的事情，包括她的長相樣貌、動作神態，甚至是說話的口氣。等他問完之後，臉上湧起了一股怪異的神色。

「你確定這個孩子沒有影子？」

任天行點頭。最後，殷達明自言自語地說道：「這老鬼始終沒有放過她，始終沒有放過她！」

任天行沒有繼續追問，甚至放開了殷達明的手，不再加以約束。他的經驗告訴他，現在問和不問已經沒有區別了，這個人的心理防線一旦崩潰，將會主動地把自己想知道的說出來。

殷達明自言自語的一陣，最後抬起頭，心裡已經做了一個決定，望著任天行，嘴角微顫著說：「我要跟你做一筆生意！我想你不會拒絕！」

「不會！」

「好，你幫我一個忙，只要你答應幫我，我會盡我所能幫助你，因爲，這件事只有你能幫我的忙！」

任天行盯著他，沒有馬上答應。

殷達明幾乎是用祈求而又倔強的眼神看著他：「你沒有拒絕的理由！因爲，只有我才能解開你心中所有的事。而我要你做的，卻是你輕而易舉能做到的事情，而且對你來說，是一件好事。」

殷達明很堅決，很果斷，但是又很希望任天行能幫他這個忙。

他那種複雜的眼神不是常人能夠理解。不知道爲什麼，任天行看到這樣的神色，居然微微點了點頭。

殷達明認定了任天行會幫忙，因此，看到任天行點頭，沒有露出驚喜，只淡淡地說道：「你遇到的那個還活著的殷小菡，我希望你能盡你的能力，就算是死，也要保證她的安全！」

殷達明推開了窗，指著遠處的那座山，徐徐說道，「鳳凰山的山頂有一個墓地，如果我死了，你把我葬到那墓地裡面去，我想好好地陪著她！」

此時的殷達明完全變了一個人，原先那種傲然、狡詐多變的性子已經變成了個即將入墓的老人。

這個交易條件並不過分，甚至有點讓任天行占了便宜，對於任天行來說，沒有不接受的理由。

但是對於殷達明來說，意義卻非常重大。任天行不知道爲何殷達明聽到殷小菡的事情之後會變成這樣，這裡面一定有原因。

任天行不愧是刀鋒的首腦，除了身手之外，更重要的就是理智，隨時保持一顆清醒的頭腦。就算他知道自己的身世之後，就算他知道自己的仇人，依然讓自己清醒著，因爲他知道，過分的激動無助於任何事。如今最關鍵的是，除了他的身世之外，還要把最近F縣發生的事情摸透。

因爲，他還知道，他是一個員警，他是一個軍人。

「你知道『活祭』這個計劃嗎？」

任天行點了點頭，淡淡說道：「這就是你們這次計劃的代號？」

殷達明搖了搖頭，望著遠方，長長歎了一口氣，說道：「看來，你只知道皮毛。F縣發生的這些事情，只不過是這個計劃的一部分，『活祭』計劃，遠遠沒有你想像的這麼簡單。」

任天行心裡不禁沉了一下，他沒想過，這個「活祭」計劃到底有多複雜。由萊恩和梅森兩個西方家族集團提供的雄厚物資和研究人員，聯手日本右翼，讓他們派出最神秘的九菊派參與其中，在F縣大刀闊斧地建立研究基地，各種先進的設備進入實驗室，F縣人際關係網都做得滴水不漏。最重要的是，在這些研究基地裡，用到的活人、死人等人體進行試驗，這個人體渠道是怎麼來的？

如此一系列的計劃，在殷達明口裡，居然是沒有這麼簡單！

殷達明把話題轉到了十幾年前。

「活祭」計劃沒有開始的時候，F縣來了一些很奇怪的人，這些人出手闊綽，爲的就是尋找一個寶物，叫做「玉玲瓏」。據說，這個寶物六十多年前，抗日戰爭的時候曾經在此地出現過，後來也在此地失蹤。

很多的官員都被這幫人買通，他們挨家挨戶，利用各種手段進行搜索。那個時候的這個事件，可說轟動一時。

但是，這件事情殷達明並沒有參與，他至今還刻意躲避這件事，因爲他是殭屍，不能暴露在陽光下。

可是這些人背景太大，太厲害了，殷達明曾經組織人員對他們進行圍捕，最後沒有成功，因爲他發現，這些人裡有幾個法術高強的術士，他們用卑鄙的手段逼殷達明跟他們合作。

「你也許想不到我爲什麼會窩在這個小地方！」殷達明的話直接點到了任天行

心裡的那個疑團，「因爲我要躲一個人，這個人就是完顏渡劫！」

完顏渡劫再厲害，也想不到他要找的這個殭屍，居然到這個地方當了縣長，而以縣長的身份，就算讓他知道，也不敢貿然行動，公然殺害一個縣長，這是對政權的挑戰，不管是在哪個國家，註定就是政權的敵人。

貌不起眼的殷達明，居然有這樣的城府，讓任天行不得不另眼相看。

那些人逼殷達明就範的手段，看起來文明得很，只不過是請了他的女兒去做客，但這個女兒卻是他的心頭肉。

「我知道有個地方壓著幾十年的怨氣，那種怨氣就連得道高僧也噤若寒蟬，不敢靠近雷池一步，我把他們引到了那裡！」

殷達明想到F縣的泗水村，這個充滿著巨大怨氣，六十多年來連生命跡象都沒有的村落。整個F縣就數這個村落沒去找過，所以，順理成章地他帶著這幫人，在夜晚的時候進入了這個村落。

皆凡是上古寶物，必定會在夜晚月圓之夜，對月光產生感應，「玉玲瓏」是一個寶物，那晚又正巧是一個月圓之夜。因此，殷達明提議晚上去，這個提議沒有引起任何人懷疑。

殷達明帶著七個人，一行八人，進入了泗水村之後，分散著搜索。他們以爲，憑著他們隨身帶的符咒就能避開邪物，但是，最後除了殷達明之外，只有兩個人能活著出來，那就是賴八和一個日本人。

出乎殷達明意料的是，賴八對泗水村比它還熟悉，甚至能說出泗水村哪戶哪戶人家，殷達明自然沒有想到，幾十年前，泗水村因爲害死一個討飯的乞丐之後遭到「噬魂」所害，這個賴八就曾來這裡趁機大發橫財，落井下石。

兩個人在泗水村之外相遇，大打出手。賴八沒有想到，殷達明居然是不死殭屍，差點就死在他的手下，落荒而逃之後，爲了報復殷達明，把毒爪放在殷小菡的身上。

殷達明知道殷小菡死得這麼慘，簡直是痛心疾首，滿眼凶光，狠狠地從牙縫裡擠出兩個字：「賴八！」

任天行十分同情殷達明，但是，當想起自己的身世的時候，心裡他還有我同情，但是我呢，有誰同情我！

兩人相視了一眼，居然有一種同是天涯淪落人的感覺。

「櫻子是什麼時候來到的F縣，這個『活祭』計劃又是怎麼開始的？」

殷達明背著手，瞭望著遠方，眼睛裡露出了一種迷離之色。

殷小菡失蹤之後，殷達明發動了所有的力量去尋找，但是毫無所獲，一直過了兩年，他和他的妻子才徹底失望。

他們家，難道就這樣斷後了？

他知道，自己變成殭屍之後，已經不能人道了，要再生一個孩子無異是天方夜譚，然而有天，有個人找到了他，讓他重燃了希望。

這是一個蒙著臉的男人，在一天夜裡，突然出現在殷達明的面前，沒有預兆，沒有腳步聲，沒有一絲人氣。

殷達明的直覺告訴自己，這個人惹不得。因爲這個人不是人，是自己的同類。

這個人身上散出一種讓人不寒而慄的氣勢，這種氣勢，充滿了殺氣、戾氣、霸氣、邪氣、王者之氣。

總之，那種感覺，不是用語言能夠描述的，看到他，就像看到了閻王一樣的，讓人在莫名之中，矮他三分的感覺。

任天行忽然間想到了自己在路上遇到的一個人，那個人給他的感覺，跟殷達明說的完全一樣。

這個人，把手放在了殷達明的肩膀上，說：「我可以幫你，讓你再有一個孩子，但是，你也要幫我做一件事。」

這件事，就是要他配合萊恩家族和梅森家族，在F縣建立一個研究基地，爲的就是做一些研究。

他根本不相信這個人的能力，可是，這個人在一招之間，讓自己逃無所逃、遁無所遁，轉瞬間，他的手掌已經按在了殷達明的頭顱上。

殷達明完全相信，他有一掌把自己擊斃的能力，最後，這個男人說：「如果我想殺你，不費吹灰之力，你可以不答應。」

殷達明答應了，因爲，這個男人還知道他的住所，他老婆叫什麼名字。

萊恩家的首腦肖恩，派了人親自到F縣，把資金以投資的名義，匯到了F縣政府的名下，開始了這次的計劃。

他們還派出眾多的人員，悄悄地進入F縣。

殷達明冷冷地說道：「原本這麼些事情，我是不能干預的，我也不想干預，但是，櫻子他們的到來，讓我不得不重新估量著他們的這次行動！」

「爲什麼？」

「因爲，來的人是日本人的九菊派！」殷達明眼裡閃出一絲火光，緩緩地說道，

「那次逼我去找『玉玲瓏』，綁架我女兒的，有一個抽著雪茄的日本人，就是九菊派的人。」

他突然間仰天大笑道：「我吸乾了他的血，然後讓他暴屍在鳳凰山山頂上，最後我用我的血，封在他的天靈蓋上，讓他死也不能投胎！」

第 164 章

龐大的規模

這個神秘男人是為了權？他能夠掌控萊恩和梅森家族，
這還不夠嗎？難道像武俠小說那樣，他要做武林盟主？
還是像西方玄幻故事那樣，要做個世界霸主？

殷達明對九菊派不是一般的怨恨，而是怨恨到了極點。櫻子和德川帶來了一批人，這批人除了負責研究基地的安全之外，還負責屍體的運送和埋葬工作。

這批人，以忍者居多，是日本神秘的紅川和黑府兩個古老門派派出的忍者，目的就是爲了協助櫻子。

「那些死日本鬼子，居然想偷偷來探我的虛實，他們那些忍者，來一個我就沒讓他跑過一個，讓我飽餐一頓。後來櫻子知道我不是人，想辦法對付我，可是，她的那些三腳貓功夫，只配對付孤魂野鬼！我們殭屍一族，不老，不死，能與天地同壽！是三界之外的霸者，又怎麼會懼怕他們呢？」

任天行接著他的話說道：「所以櫻子爲了對付你，請賴八在縣政府那裡布了一個七煞幽冥陣。」

殷達明點了點頭，說道：「這個女人不簡單，這十多年來，一直在算計著我！」

櫻子派去的人都是有去無回，後來，殷達明的附近就成了雷池，讓他們這幫人不敢越進一步。

一直到萊恩詹姆斯從英國過來的時候，告訴他們殷達明是自己人，他們才些許放心，這個時候，實驗已經開始了。

來自各地的屍體，進入Ｆ縣縣醫院之後就無影無蹤，然後陸陸續續地有人口失蹤。殷達明迫於上級的壓力，不得不對他們施壓，不讓他們亂來，這些人倒也配合，在Ｆ縣只找屍體，至於活人，包括即將死的和有癌症的，是他們利用手段從各地運到這裡的。

「別用這樣的眼神看著我，他們這種滅絕人性的做法，我早就看不慣了，正打算把這些蒼蠅都趕出Ｆ縣的時候，那個神秘的人又來了，他把我老婆帶來了，我老婆當時有九個月的身孕！」

殷達明沒有想到，這個神秘的男人居然利用ＮＤＡ基因複製技術，把他老婆的卵子和自己毫無生機的精子再次結合，然後種植到他老婆的身體裡。

任天行也愕然了，現代科技的人工受孕技術，還處於初步階段，而且，要人工受孕，必須要從男方身體裡提出能存活的精子。但作爲殭屍，身體已經變質了，能不能人道還是一回事呢。

這個神秘的男人居然有這樣的能力，不知不覺中讓殷達明的妻子受孕，而且孩子生下來之後，經過ＮＤＡ核實，確實是殷達明的孩子。

這讓殷達明興奮到了極點，中國自古以來，有句話叫不孝有三，無後爲大。這神秘男人，相當於殷達明的再生父母。

因此，殷達明全心全意爲他做事，這孩子每兩年回來一次，相聚了一陣又給這男的帶走，因爲他說過，只要他們的研究結束，就讓他們一家團聚。

殷達明黯然地說：「他說的話，我根本沒有商量的餘地！」

「你老婆是怎麼死的？」

「癌症！」殷達明長歎了一口氣，輕聲道，「是癌症，我原本可以救她，只要她變得跟我一樣，但是，我不能害她！我不想她變成人不人鬼不鬼的模樣，在千百年後，她會恨我！」

看著這個男人，任天行居然生出了一絲敬畏，他沒想到，殷達明會理智到這一步，換做是一般人，一定恨不得找各種方法，只要是能救活自己的愛人，就算是死也在所不辭。

但是，這種方法，不是死的代價，是活的代價。救了之後，要想再死，將是千難萬難。殭屍自然會死，但是要看怎麼死。如果在陽光暴曬下，讓光線把自己給毀了，就如同一個活人拿著一把鉗子，從自己的身子上一把一把地把自己的肉抽出來，而且在沒有斷氣之前不能停，這種痛苦，誰能承受？

這不是安然死去，而是連閻羅王看了都寒心的死法，比被焚燒死得更慘，更慢，更讓人心悚！誰有那麼堅毅的心理素質，能夠承受自己給自己的壓力，能夠自己看著自己死去，而且是在痛苦中死去？

這一點，任天行自然明白，可是，他不明白的是，為什麼殷達明聽到殷小菡的事之後，會改變主意，把這一切說出來，難道是怕死嗎？以殷達明對妻子和對女兒的這種愛護之心，任天行根本不相信他是一個怕死的男人。

殷達明臉色痛苦地抽搐，說出了他的原因。

「只有鬼魂才沒有影子，一個活人，為什麼沒有影子？因為他是純陰體，老鬼，老鬼，你好狠的心，居然用我女兒做實驗！」殷達明狠狠地罵著，兩眼居然流出了青色的淚水。

殷小菡沒影子，是因為她是一個純陰的身體。要想成為純陰之體，只有一種方法，就是從出生到懂事，這個孩子都需要用屍氣和屍水維持著，而且不能間斷，也不能死亡。

難怪殷達明聽到殷小菡沒有影子的時候，心理防線會徹底崩潰，甚至主動配合任天行，換取任天行保護他女兒的條件。

因爲他發現，那個神秘的男人，那個被他稱爲老鬼的男人，沒有信守承諾，已經出賣了他，因爲他發現，自己只不過人家的棋子而已。

他仰天狂笑，笑聲中帶有許多無奈和辛酸，把整件事情說了出來。

殷達明想念他的大女兒，尋找了幾年，透過了各種關係都沒有找到，而從那個抽著雪茄的日本人嘴裡知道，大女兒殷小菡已經死在他們手裡，因此想盡辦法去尋找賴八報仇，可是這個賴八神出鬼沒，根本沒法找到他。

第二個女兒出生之後，他跟老婆商量之後，決定取名叫殷小菡，紀念自己的大女兒，奇怪的是，這個女孩看起來臉色相當不好。那個神秘的男人說這是因爲殷達明的體質原因，遺傳給了這女孩，不過，他會想辦法把這女孩醫好，只需要十年的時間，因爲，他擁有一家世界上生物醫術最厲害的醫院。

這個男人說，以當時的條件，需要十年的時間，殷小菡就會好起來，如果F縣的這些研究基地能順利進行，說不定不用十年，只需要五年。

但是，他們沒有料到，如果不是何俊泰，說不定真能五年實現，但是，俊泰從中做了手腳，讓這個實驗項目拖延了十多年。

殷達明很聰明，雖然表面上顯出一副合作的樣子，可是暗地裡卻調查了他女兒的事情，發現了一件驚天的大秘密。

殷小菡臉色蒼白，身體陰氣很重，殷達明早就懷疑不是先天因素，而是後天產生的。他甚至打算，找個機會把孩子要回來，然後帶著老婆遠走高飛。

可是，在這個時候，他看到難以相信的事情，發現了一個驚天秘密。

任天行的精神立刻提了起來，追問道：「什麼秘密？」

「『活祭』計劃，不只是在Ｆ縣才實施，Ｆ縣只是這個計劃裡的一部分，在東北黑河那一帶，中國跟俄羅斯交界的一個縣城裡，也有著跟Ｆ縣一樣規模的實驗基地，那裡的實驗人員清一色是外國人。」

「除此之外，美國、英國、法國，甚至俄羅斯境內，都有著類似的實驗基地，這些基地的規模絲毫不遜色於Ｆ縣。」

任天行幾乎是瞪大了眼睛聽著殷達明說，嘴巴驚得合不上，實在不敢相信，這個「活祭」計劃居然涉及到世界各地。

「這個『活祭』計劃，是不是比你想像的要更加恐怖？」殷達明反問了一句。

幾乎所有的強國、大國都有一個這樣的研究基地，他們到底要幹嘛？

殷達明也不知道他們到底要研究什麼。能有這樣的國際性規模，而且連英國的萊恩家族、法國的梅森家族全力支持這個神秘男人，這說明什麼？

中國有句話，富不過三代，但萊恩家族卻是代代相傳，世界動亂前後，萊恩家族都不受影響。他們集團旗下的公司上百個，遍及房地產、藥品、電子儀器、教育等各行各業，可謂掌握了國家的經濟命脈。

可想而知，這根本不是爲了錢！

不是爲了錢，那麼，是爲了權？這個神秘的男人能夠掌控萊恩和梅森家族，對於權力，這還不夠嗎？難道像武俠小說那樣，他要做武林盟主？還是像西方玄幻故事那樣，要做個世界霸主？

殷達明淡淡說道：「你應該能看得出來，他們研究的，比生化武器更恐怖！因爲，你不知道他們到底要幹什麼！」

任天行眼睛一亮，抬起了頭說道：「這些研究基地，爲什麼沒有一個在日本？」

這一句話讓兩人精神一震，面面相覷。

殷達明最後盯著任天行，沉沉地說了一句：「這就是真正的『活祭』計劃，我不知道這是在活祭誰！」

「任天行，你答應過我，幫我照顧殷小菡，不能讓她出事，你一定要辦到！」

任天行點點頭，說道：「我既然能點頭，自然會盡力，除非……我死了！」

「好，好！」殷達明猛地點頭，似乎很放心，對著任天行說道，「雖然到目前爲止，我不知道這個神秘人到底要研究什麼，但是，我知道，有很多人對這個實驗結果大流口水。因爲，和萊恩詹姆斯隨行的五個人，號稱『五行人』，就是他們在外國研究基地的成果！」

「五行人？」任天行愣了一下，當初自己和王婷婷差點就死在這五個人的手裡，非常難對付，如果這五個人是那個神秘人研究的成果，那實在太恐怖了。

倉庫一號的那些人，難道就是爲了研製成這樣的人？如果是，他們沒必要在F縣再建立這樣一個研究基地，因爲他們已經有了經驗！那他們要幹嘛？難道說，他們想研製比五行人更厲害的人？

想到此，任天行額頭不禁冒了一層汗，這實在是太瘋狂了。

很多人對這個實驗流口水，這很多人，讓任天行皺緊了眉頭，因爲，他已經有了預感。從抓到「黑蛇」和「黑蟹」兩個國際大盜到發現地下基地，就已經知道事情不簡單了。

這兩個人，不只是國際大盜這麼簡單，他們有著X國的背景，暗地裡，是X國的特工人員。

任天行心裡突然有一種想法，自己被韋叔叔安排到這裡來，難道，韋叔叔也打這個方面的主意？

自從他從殷達明嘴裡知道自己的身世之後，他對韋嘯天的看法變了很多，感覺自己從來沒有瞭解過這個人。

第 165 章

千古恩怨(上)

任無名大驚之下，快步疾飛，接住了完顏無忌，殷壽嘴角那兩顆長長的牙齒，顯得格外嚇人，兩眼發出妖異的光。這任無名完顏無忌應該是好友才對，是什麼原因讓他們有如此的深仇大恨？

殷達明離開的時候，眼裡帶著一股由怨恨燒成的火花，任天行知道，他要去找賴八算帳！

殷達明告訴他，在義莊的別墅下面，有一樣只屬於他們任家的東西，並給他留下的一句話，就是：小心完顏世家的人！

聽到這句話，任天行不知道心裡五味雜陳的滋味該怎麼形容，他用一種幾乎是痛心而又痛惜的聲音，輕呼了一聲：「長風！」

這個對自己有恩的知己，這個有著過命交情的朋友，如今，居然變得這麼的陌生。任天行拿起了裝著那件戰袍的包裹，連夜趕到了義莊，從地下挖出了一個長形的方盒，打開一看，居然是一把刀，一把古跡斑斑的大刀，上面刻著兩個大字：奪魂！奪魂寶刀！

這把刀就是他的先祖任無名傳下來的。

任無垠跟完顏渡劫那一戰之後，寶刀被殷達明帶了回來，那件戰衣也是殷達明在任天行的母親慕容小倩身邊找到的。

任天行舉起奪魂，一抹來自天上的月光閃過，刀身周圍籠罩出了一層淡淡的白光，在「嗞嗞」爆響。

長風和王丫頭正盤膝坐在完顏渡劫身邊，一旁放置的七竅破魂突然間震動了起來，完顏渡劫失聲叫道：「奪魂出世！」

話音剛落，長風只覺得肩部一疼，失聲慘叫了一聲！慘叫聲還同時來自另一個人，那就是他父親。

兩個人幾乎是捂著肩部叫了出來，把王婷婷嚇了一跳，等兩個人把衣領掀開的時候，完顏渡劫和完顏長風的肩膀上，清晰地印著兩塊青色的瘀血。

完顏世家被詛咒的徵兆，又開始出現了！

長風父子兩人緊緊地咬著牙，苦痛了好一陣，嘴角流出了一道血跡，臉色變成絳紫色，表情十分痛苦。

王丫頭看著他們兩人，心裡突然發慌，手足無措地對他們喊著：「你們怎麼了？你們怎麼了？」

三分鐘的時間，三個人就像是熬過了三個世紀這麼長，這種撕心裂肺的痛苦，讓長風終於體驗到了「萬世陰魔咒」的威力。

在喘息聲中，完顏渡劫沉沉說道：「任無名可以算是任家的翹首，幸好他的後代沒有一個能及得上他，不然，真該是我們完顏世家的末日了。可惜，我們完顏一家，也沒有一個比起先祖無忌更出色的，不然早就破了這個咒！」

王婷婷似乎是聽不懂他在說什麼，聽起來是一個矛一個盾一樣。

「給祖師婆婆上香，她會告訴你一切！」完顏渡劫看著一臉迷糊的長風，把三炷香遞給了長風。

長風把三炷香橫著捧在手上，跪在祖師婆婆的面前，恭恭敬敬地叩頭拜了三下，然後閉上眼睛默哀了半分鐘，把橫著的香慢慢地豎直。

三炷香的香頭漸漸地冒出了白煙，火星在香頭處慢慢地冒了出來，這是用心火點燃的香，所謂心誠則靈就是這樣。

王婷婷第一次在古晶之處露了一手，就是一下間把香給點燃，讓所有人大吃一驚，而這次，輪到她吃驚了。長風這一手，不同於平常，他在三炷香點燃之後，做出了一個奇怪的動作，把香高高舉起，身子和頭卻著地跪拜著，那三炷香也很奇怪，劈啪作響之外，居然像火藥一樣帶著「嗞嗞」的燃燒聲，從頭到香根全部燃盡，如手指粗的香變成了香灰。

三炷香的香灰漸漸地散落在地上，這個時候，長風站起來，然後盤膝坐在他父親的對面，兩父子相對而看，微微點頭，閉上了眼睛，捏起羅漢托塔的印訣。

王婷婷看著兩父子這古怪的模樣，甚是好奇。她上下打量著他們兩人，看了半天沒有發現什麼，轉頭看了一下祖師婆婆，見到祖師婆婆閉著的眼睛裡有一層層暗紅色的光在閃動，被嚇了一跳。

長風在這半天的時間裡，就像半年一樣的長久，他捏了一個羅漢托塔印，把自己的意念，通過咒法跟祖師婆婆的意念接觸。

正要進入祖師婆婆的意念中時，卻被一層薄薄的氣浪隔住了，這下把他急壞了，幸好他父親的意念也進來了，兩人意念相觸之後，漸漸地掀開了那層氣浪。讓他們驚奇的是，這個時候，長風兩手裡湧出了一種祥和的光，讓三個人的意念顯得格外的融洽，這是源自「玉玲瓏」的力量。

「弟子完顏渡劫叩見祖師婆婆！」

「弟子完顏長風叩見太祖師婆婆！」長風跟著恭恭敬敬地叫了一聲，心裡想著，老爸都尊稱是祖師婆婆了，如果自己再這麼叫，豈不是跟老爸同輩？這一點他可不敢，寧可叫錯，不能做錯。

祖師婆婆沒有回應，也沒有說話，但是兩個人感覺到，祖師婆婆的注意力放在了長風的身上，對他擁有的那對「玉玲瓏」感到驚奇。

隨後，長風父子兩人的腦海裡閃過了一片片的片斷。

那是一個一望無際的草原，兩個穿著戰甲的將軍，握著一刀一劍，鏡頭漸漸地拉近，可以很清楚地看到，這兩把刀劍上的名字：「奪魂」、「七竅破魂」！

兩人正匆匆地追趕一個人，跨過了高山，邁過了平原；他們幾乎不休息，一次次擦乾了額頭的汗水，渴了，兩個人輪流喝了一口水，餓了，從身上掏出乾糧吃了兩口，然後繼續趕路。

那是一個蠻荒時代，幾乎沒有城鎮，沒有高速公路，沒有電纜，沒有汽車，沒有高樓大廈，到處都是荒山野嶺和曲腸小道，到處都是樹木和叢林，兩個人不知道趕了多少個日夜，最後，終於追上了一個人。

這個人也是一名將軍，穿著盔甲，舞動著手上的劍，斜著眼睛看著追來的這兩個人，冷冷地說道：「任無名，完顏無忌！你們敢犯上！」

任無名被他這句話給說得身子震了一下，完顏無忌卻冷笑了一下，提劍指著這個人，厲聲喊道：「殷壽，如今已經是大周天下，你和我們的君臣關係早已斷絕。」

殷壽哈哈大笑，傲然看著這兩個人，絲毫沒把這兩人看在眼裡，冷笑道：「大周！哼！我要是想奪回江山，簡直易如反掌！」

他冷冷地看著這兩個人，不屑道：「無知小輩，竟然敢對我不敬，就算是黃飛虎見到本君，也要三跪九叩！」他眼光放在任無名身上，冷漠道，「念你對我大湯忠心一片，今天放你一馬，滾！」

完顏無忌冷笑一聲，看了任無名一眼，說道：「任兄，這暴君留不得，別忘了楊伯侯一家是怎麼死的，其女楊落雪也死在妲姬安排的追兵劍，還有比干大人。」

「哈哈哈！」殷壽突然仰天大笑，指著他們兩人冷笑道，「比干是自己挖出他的心臟來向本君證明他的心是紅是黑，跟本君有何干係?楊伯侯機緣巧合得到了上古寶物『玉玲瓏』，居然送給黃飛虎，想以此讓黃飛虎替他求情救梅大夫，這是無視朝綱，死有餘辜！」

任無名和完顏無忌相視了一眼，異口同聲喝道：「冥頑不化！」

兩人聯手，劍尖指向殷壽。

劍光，刀聲，喝喊，打得天昏地暗，任無名和完顏無忌沒有想到，殷壽居然能以一敵二。兩人聯手之下，任無名的奪魂刀在殷壽的肩部劃出了一道傷痕。

殷壽受痛之後，怒喝了一聲，仰天長吼，臉色劇變，兩顆長長的牙齒從嘴裡咧了出來，任無名臉色大變，驚叫道：「什麼怪物？」

「妖孽！」完顏無忌冷然叫了一聲之後，身子化成了一條弧線，向殷壽刺去。

「噹！」

一陣金屬的碰撞聲之下，任無名驚叫了一聲：「無忌小心！」

完顏無忌的七竅破魂劍刺在殷壽身上，穿透了他身上的護甲，但是，卻刺不穿他的皮膚。劍尖和皮膚相觸的時候，冒出陣陣的火花！

「呯！」

完顏無忌簡直不敢相信，等他回過神來的時候，殷壽已經抓住了他的衣領，把他狠狠地摔向地上。

任無名大驚之下，快步疾飛，接住了完顏無忌，但是這股甩出的力量太大了，兩人被狠狠地摔到在地上，揚起了一道道灰塵。

等兩人起身之後，這個叫殷壽的男人已經到了他們面前，嘴角那兩顆長長的牙齒，顯得格外嚇人，兩眼發出妖異的光，眼光盯在這兩人的脖子上。

完顏無忌忽然想起什麼，從身上掏出了一樣東西，對任無名叫道：「拿出黃將軍給咱們的東西！」

他們掏出的是一根黑色的墨線，兩人一個拿著一頭，各自滾到了一邊。他們居然想用這根跟針一樣細小、微微扯一下就斷的繩子來對付殷壽，顯然顯得可笑。

但是，這根繩子卻真的起了作用。殷壽很忌諱這繩子，每碰到一次都要嗥叫一聲，聲音低沉而悲痛。

天漸漸亮了，殷壽忽然間邁開了大步，向樹林裡躲去。

鏡頭漸漸地模糊了，長風父子兩人心裡想著，這任無名和先祖完顏無忌應該是好友才對，是什麼原因讓他們有如此深仇大恨？

鏡頭又一閃，一個白髮白鬚的老頭把一個包裹遞給了一個威風凜凜的將軍，那將軍接過包裹之後，找到了完顏無忌和任無名，分別把裡面的東西給了他們。

完顏無忌得到了一個錦囊和一個黑玉珠，任無名得到了一個白玉珠和一本書，兩人分道揚鑣。

長風看到那個將軍把這兩個黑白珠子給了兩人，心裡很激動，因爲他看得出來，這兩個珠子就是那一對「玉玲瓏」。

正想到這，他看到了他的先祖完顏無忌帶著這黑玉珠去到了一個滿天雪地的地方。那個地方，是北極之巔。

在那裡，他用七竅破魂劍挖出了一具女性屍體，儼然就是楊落雪。然後，按照那錦囊上寫的方法，在那屍體的額頭貼上了一張黃色的符咒，然後，用自己的精血劃在七竅破魂劍上，在屍體周圍布了一個結界。

事畢之後，他盤膝坐在雪地裡，不知道過了多少日，他不吃不喝，一直到有一天，北極晃動了一下之後，地面裂開，從雪地下面爬出了一個滿身白色的毛茸茸的怪物。長風驚愕地張開了嘴，他父親完顏渡劫輕聲在他嘴邊說了一句：「那是北極之下的雪魔。」

當這毛茸茸的怪物完全爬出來之後，渾身上下居然放著七彩之光，就在此時，完顏無忌漸漸地站了起來，拿著七竅破魂劍，跟這個雪魔來了一次生死決戰。

兩父子自然不知道為何先祖要跟這雪魔開戰，看著雪魔渾身發著七彩之光，似乎已步入了仙境，而先祖居然敢和它開戰。

一番驚天大戰，四周的冰雪橫飛，奇怪的是，在結界內楊落雪的屍體，居然不傷分毫。

這一場大戰打得天昏地暗，整個北極都爲此晃動，完顏無忌一劍刺中雪魔的時候，突然對雪魔噴出了一口鮮血，那雪魔被這鮮血噴中，哀聲嗥叫，痛苦無比，最後死在七竅破魂劍下。

雪魔死後，天降大雪，狂風呼嘯，完顏無忌把黑玉珠塞進了楊落雪的嘴裡，然後，又一次盤膝坐下念咒，楊落雪的身子逐漸逐漸地飄浮了起來，在狂風暴雪中，漸漸落在了那雪魔身邊。

兩具屍體似乎有了反應，楊落雪和雪魔身上凝聚了一團白色的光，光芒漸漸升空之後融合在一起，然後飛入了楊落雪身上，最後，身子消失在大地之中。

第166章

千古恩怨(下)

任無名如約而來那天，卻看到這個村落遍地屍體和鮮血，心急如焚，提著奪魂往這姑娘的閨房奔去。他破門而入，看到完顏無忌的劍正砍在這姑娘的手臂上，身上、臉上都沾滿了血。

完顏無忌臉色蒼白，對付雪魔，讓他耗費了所有的精力，隨即孤身一人，拖著疲倦的身體，消失在茫茫的雪原中，來到了喜馬拉雅山之巔。

喜馬拉雅山上站著三個人，一個是完顏無忌，一個是任無名，還有一個女人，這個女人就是魅姬。

「兩位將軍，壽哥已經如此慘了，希望兩位將軍放我們一馬，小妖感激不盡。」

任無名冷冷道：「小白狐，讓開，這暴君不死，十萬冤魂不得安寧！」

「任統領，昔年黃飛虎叛亂，投靠西周，虧我姐姐爲你求情，饒你不死，還讓你負責宮內統領之職，如今，你就這麼忘恩負義不成？」

完顏無忌淡淡道：「黃將軍叛亂西投，那是暴君所逼，如若當時晚走一步，就死在暴君的炮烙之下。當時要不是無名被聞太師調用，早就跟我們一起去了西周！」

「說什麼你們今天都不放過我們了？」小白狐冷冷地看著眼前這兩個男人。

「小白狐，妳從未跟妲姬作過孽，何必蹚這淌渾水？好好修行豈不是更好？」

「好吧，只是我要先掂量一下，你們有沒有什麼本事讓我心服口服！」小白狐媚笑著飛向兩人，兩條綢帶就像有生命一樣，紛紛纏住兩人。

長風心裡驚呼道：這女人……是魅姬！

不只是長風驚歎，此時的任天行也在驚歎。

他拿著奪魂刀，對著月亮舉了起來，這刀似乎有著感應，一種熟悉的感覺湧進了他的身上，他慢慢地把包裹裡的那件戰衣穿在身上。

月光就像一個罩子一樣射在他的全身上下，刀身「嗞嗞」作響，反射的刀光映入任天行的眼裡，讓他腦子一震，從刀光裡看到了一些影像，那些影像跟長風看到的一模一樣。

「我們中計了，她纏著我們，正在拖延時間！」完顏無忌忽然明白了過來，這小白狐纏住他們兩人，靠著靈活的身法跟他們捉迷藏，是爲了讓一個人逃走，弄了半天，他才想到這一點。

這一下，兩人臉色大變，完顏無忌吼叫了一聲，從身上拿出了一道符咒，說道：「天堂有路妳不走，怪不得我！」

那道符咒，閃著金色的光芒，小白狐見到這符咒，原本嬉笑的臉色漸漸地消失了，她知道這符咒的厲害。

任無名擋住了完顏無忌，阻止他用這符咒，叫道：「留著對付那暴君，你先追上去，我對付這小妖！」

完顏無忌應了一聲，轉身往西追去。

任無名提著奪魂刀，招招使出殺著，封住了這小白狐的路，只是這小白狐太厲害，雖然暫時被封，但是絲毫傷它不得。

「日月齊光，劍歸無極！」任無名把刀朝那小白狐一扔，奪魂幻化成了千百把，圍著小白狐不停地亂轉，讓它動彈不得。

「九轉驅魔沙！」

任無名從身上抓了一把東西朝它一撒，滿天金光冒著「嗞嗞」的響聲，打在它身上。隨著一聲慘叫，這小白狐被打成了原形。

任無名一聲「收」，奪魂即刻回到了他的手上。

他冷笑道：「之前不傷妳，是看妳沒有跟妲姬同流合污，有心放妳一馬，妳居然要手段妨礙我們。」

小白狐悶哼了一下，幽幽說道：「他已經走遠了，你們別枉費心機了，我一條命能換他一條命，也算值了！」

任無名看著小白狐，沉默了一下，最後從錦囊裡掏出了一塊木牌，嘴裡喃喃有詞，一聲「去」，木牌打在小白狐身上，那小白狐逐漸逐漸變小，最後一陣煙似地被吸進了木牌裡。

「黃將軍要我斬草除根，可是我下不了手，只把妳禁錮在這神牌裡，妳就安心地在裡面修行吧。」

任天行看著這一幕幕景象，終於知道，魅姬爲何要三番兩次地救他，爲什麼說愧對於任將軍，原來是這麼一個經歷。

隨即，任無名往西趕去，經過了兩天兩夜不眠不休的追趕之後，終於遇上了完顏無忌和殷壽。

完顏無忌和殷壽相遇了之後，兩人大戰了一夜，不分勝負，殷壽趕在天亮之前，找個地方藏了起來，完顏無忌無論如何也找不到。

但是一到了晚上，這個殷壽就偷偷地出來了。完顏無忌明白了，這殷壽怕陽光！可是，兩人的實力相差不遠。

殷壽變成了不死殭屍，有著永遠使不完的勁，不停地跟完顏無忌交手，就是想累死他。可是，他沒想到的是，完顏無忌手上的七竅破魂劍，居然能傷他。

「好劍！」殷壽吼了一聲。

完顏無忌大笑道：「姜太公賜給黃將軍的劍，自然是好劍。」

提到姜太公，殷壽臉色不禁冷了下來。

兵刃相交之下，遠處一聲凌厲的叫聲傳來。

任無名出現了，大吼了一聲：「無忌，我來助你！」

「好，先滅了這暴君！」

奪魂和七竅破魂，刀劍相交，閃出凌厲的劍氣，兩道劍氣劃向殷壽。這兩道劍氣幾乎是滿天而來，劍氣之中，夾著「卍」字和「勒」，兩個字閃出的黃色金光頓時照亮了四周。

殷壽大驚之下，被劍氣打在身上，在他身上劃出了兩道深深的傷口。他顧不得反擊，倉皇而逃！

「追！」兩人異口同聲地叫了一聲。

畫面不斷地抖動，他們跨過了叢林、河谷，邁過了高山，爲的就是追殺這個叫殷壽的男人。但讓他們驚奇的是，這個男人經過幾天的逃跑之後，竟在前面靜靜地等待著他們兩人。

他漸漸地轉過身來，嘴角還殘留著一絲血跡，身邊躺著一個紅髮的女人，脖子上印著兩個清晰的肉洞。

「殺！」完顏無忌和任無名兩人嘴裡蹦出了一個字，眼裡冒出了火花。

殷壽似乎感覺到了他們的怒氣，對著月光昂天狂吼，嘴角兩顆牙齒顯得格外的陰森。三個人影不斷閃動，「噹噹」的金屬聲音不斷傳來，奪魂和七竅破魂居然刺不進殷壽的身子裡，讓他們兩人大吃一驚。

殷壽吸了這女人的血之後，整個人變得詭異至極，全身上下就像披上了一層寶甲一樣，刀槍不入。

而他眼裡正冒著紫色的焰火，原本濃厚的眉毛變成了火紅色。

這是一次生死決戰，但是，這次的主角不是任天行也不是長風，而是他們的先祖和一個叫殷壽的人。

天地爲之變色，驟雨，烏雲，閃電，雷鳴同時出現。

完顏無忌大喝了一聲：「如來蘭花指！」任無名也撒出了一把「九轉驅魔沙」，三個人在閃電中不停地穿梭著。

可是在這精彩的一刻，一切都突然間消失了。

長風父子兩人失聲地驚叫了一聲，心裡不斷想著，先祖是否收拾了這個殭屍。至於完顏無忌施展的「如來蘭花指」，更讓長風兩眼發亮，想不到這個指法的運用居然有如此多奧妙。

緊接下來的，他們腦海裡浮現的是完顏無忌和任無名被西藏的一些土著救了回來，等他們甦醒過來的時候，不知道昏睡了多少時日。

映入他們眼裡的，沒有了殺戮，沒有了戰爭，有的只是這些當地人早出晚歸，男耕女織，一幅天下太平的景象。

這個時候，讓他們眼睛一亮的是，一個藏族姑娘爲他們端來了飯菜，這個姑娘一直在照顧著他們。

日復一日，時間就這麼過去，這簡直是神仙般的生活，三個人同進同出，在藏族小姑娘那燦爛的笑容和甜美的笑聲中，兩人身上的傷漸漸地好了起來。

等到兩人康復了之後，依依不捨地離開了這片寧靜的土地，離開了這位可愛的女孩。但是他們約定，十年之後，再在此相聚。

離開了西藏，完顏無忌看完錦囊的最後一條指示之後，把錦囊毀了，兩人相視大笑，然後相互辭別。

長風父子兩人非常疑惑，這兩條好漢，同生共死這麼多次，爲何任無名要對完顏一家下如此惡毒的詛咒呢？

任天行心裡又何嘗不是這樣想！

就在任天行疑惑的時候，後面的片斷讓他終於明白了事情的緣由。

就在完顏無忌和任無名兩人分手的時候，那藏族的姑娘偷偷給他們每人送了一個香袋，上面用繡花針繡了一行字：三年後的八月十五，一定要回來。

兩人各自以爲藏族的那姑娘對自己情有獨鍾，因此要自己先回來見面，心裡暗自高興。可是，任無名如約而來的那天，卻看到這個村落遍地屍體和鮮血，心急如焚，提著奪魂往這姑娘的閨房奔去。

突然間感覺到有個人從背後襲擊他，他心裡一驚，手往後一扳，奪魂刀嗞的一下，一個怪聲慘叫了起來，一股熱騷的味道灑在他身上。他轉頭一看，躺在地下的居然是一隻小猴子。

他趕到閨房裡面的時候，聽到那姑娘的慘叫聲，他破門而入，看到完顏無忌的劍正砍在這姑娘的手臂上，身上、臉上都沾滿了血。

「爲什麼？爲什麼？他爲什麼要這樣做？」任無名不敢相信這一切，狂吼了一聲，提著奪魂刀二話不說，往完顏無忌身上砍去。

完顏無忌躲開了他的攻擊，沒有抽回手上的劍，反而加快了速度，把這藏族姑娘的臂膀砍了下來。

藏族姑娘哀叫了一聲，突然間醒來，瞪大了眼睛盯著任無名，用手指著任無名，似乎在向他求助，但是，劇痛讓她一下間又昏迷了過去。

「完顏無忌，我殺了你！」任無名眼睛裡冒出了一股憤怒的火花，而完顏無忌的眼神幾乎是要把任無名吃掉，兩人大打出手。

任天行緊緊地握住了拳頭，冷冷地擠出了幾個字：「忘恩負義，以怨報德！」

這個安寧平靜的村落曾經救了兩個人，但是，完顏無忌居然把村落裡的所有人都殺了。

而此時，長風嘴裡也一樣，擠出了這八個字：「忘恩負義，以怨報德！」

在他們腦海裡展現的也是一樣的畫面，但是稍有不同。

完顏無忌也應邀而來，他來的時候，一樣遇到了一隻偷襲他的猴子，猴子一樣斃於劍下，讓他臉部和身上都沾滿了腥紅的鮮血，可是看著全村人都慘死，他不禁慌張地叫了那藏族姑娘的名字。

是誰用這麼狠的手段，把這麼多人給殺了？

等他來到這個藏族姑娘的閨房的時候，那藏族姑娘已經奄奄一息，他失聲叫了一下，撲了過去，緊張地檢查著這個姑娘身上的傷。他發現，這姑娘的手腕中了毒，這種毒非常惡毒。

要救她，唯一的辦法就是把整條臂膀給砍了，讓毒液流出來。爲了讓她能活下來，完顏無忌狠下了心，一劍砍向她的手臂，可是，就在此時一個人向他攻來，試圖要阻止他給這女孩救治。

他躲開了這一擊之後，轉頭一看，來人居然是任無名，而且任無名臉上沾滿了血跡，一臉的凶相。

完顏無忌喉嚨裡悶響了一聲，他不明白任無名爲何要殺了這些人，因爲任無名正好是用毒的高手。

兩人的交戰就這樣開始，刀光劍影帶出的氣浪把這裡的草棚和木房都一一毀了，就在兩人交戰的時候，藏族姑娘最後一聲斷氣的聲音刺激了他們的每一個細胞，讓他們打得更瘋狂。

兩個人眼紅耳赤，不殺對方誓不罷休，他們都以爲對方是兇手，每一招每一式都不留情。任無名使出了變化莫測的奪魂刀法，一刀刺在完顏無忌的左肩，從前肩穿到了背後，鮮血把奪魂刀染得通紅。奪魂刀發出了一種強大的吸力，把完顏無忌身上的精氣給漸漸地吸了進去。

完顏無忌忍著痛，絲毫不理會身上的傷，捏了一個九字真言訣，狠狠地打在了任無名的身上。

兩人相互慘叫了一聲之後，夜幕逐漸降臨。

任無名雖然有高超的刀法，但是要對付修煉道家功夫的完顏無忌，那是相差一大截。因此，他孤身一人，走遍天涯，就是爲了尋訪名師，學習道法。

他窮極一生，放棄了所有人生的樂趣，臨死的時候，終於獨創了一種狠毒的咒法，那就是：萬世陰魔咒。

爲了替整個村落的人報仇，爲了替那個救了自己性命的藏族姑娘報仇，他不惜犧牲一切代價，把自己的命給搭上，詛咒完顏世家，世世代代，男的活不過二十，女的沒有出世就夭折。此外，凡是跟完顏世家有肉體接觸的女人，必定慘死。

完顏無忌自從那次之後，多次尋找任無名而無果，由於自己修煉道家秘法，小有所成，心中的怨恨逐漸減去。

他參悟了天道，獨創了「如來般若咒」，爲了怕北極之巔的楊落雪修煉入魔道，再次徒步到了北極，把寄附在雪魔身上修行的楊落雪帶到了中原，用如來般若咒去化解楊落雪心中的怨氣，然後把她鎮在了一個山洞裡。

當完顏無忌發現自己家族被詛咒之後，他把所有的精力都放在破咒身上，但是，他只成功了一半，完顏世家的傳人，必須在三十五歲之前破解詛咒，如若不能破解，三十五歲之前，要留下一個後代送到布達拉宮修行，然後，到萬古的石洞裡面來服侍完顏無忌的夫人，只有她能告訴下一代人事實的真相。

第 167 章

第三墓室

長風和王婷婷兩人出第三墓室的時候，沒有從墓室門口出，而是憑空出現在眾人面前。在古墓裡考古，經常會發生各種各樣怪異的事情，但是這次不同，他們零距離接觸了這次怪異的事件。

只有完顏無忌的夫人可以預測出能解開這個詛咒的完顏世家傳人是誰。這個傳人唯一的特徵，就是知道整件事的來龍去脈。

完顏渡劫激動地看著長風，顫動著嘴，最後哈哈大笑，說道：「終於找到能解開詛咒的傳人了，先祖有靈，先祖有靈！」

他很肯定，這個能解開詛咒的人就是長風，因為祖師婆婆沒有告訴他事情的始末，而在長風出現之後，整個事情的脈絡都清清楚楚。

王婷婷沒有機緣知道這件事，但是，她替長風高興，因為，這個詛咒並不是不能解。心情高興之餘，這丫頭居然對著祖師婆婆跪了下來，恭恭敬敬地給她磕頭。

完顏渡劫看在眼裡，欣慰地點了點頭，對著王丫頭和長風說：「你們知道祖師婆婆是什麼人嗎？」

這語氣十分的驕傲，讓王婷婷和長風兩人愣然了一陣。

他們期待地看著完顏渡劫，完顏渡劫十分傲然地說道：「她是先祖的夫人，叫姜二娘！她的父親，叫姜尙！」

「姜尙！姜太公?!」

王婷婷和長風失聲大叫，他們簡直不敢相信她是姜太公姜子牙的女兒！

「轟!轟!轟!」

整個墓室都在動搖，三聲震耳欲聾的響聲響起，王婷婷失聲叫了一下，緊緊地抓住長風。

完顏渡劫非但沒有懼意，還開心地哈哈大笑，凌空一指，七竅破魂劍飛入他手中。他把劍遞給長風，說道：「殺了任家的人，就能破解我們家族的詛咒，你記住了!這不是你一個人的恩怨，我們完顏世家幾百代人的恩怨都繫在你身上。只要你流著完顏世家的血脈，只要你姓完顏，只要你還活著，你一定要手刃仇人!」

「父親，我……」

「不用多說，大限已到，我們完顏一族等待的就是這麼一天!」完顏渡劫淡淡地對長風說了一句話，緩緩地盤膝坐下，對著凌空飄浮的祖師婆婆說道：「弟子完顏渡劫，已經完成使命，請列祖列宗讓弟子歸位，請列祖列宗安息!」

他臉上露出淡淡的笑容，捏了一個印訣，對著長風和王婷婷說道：「你們出去!」說罷，袖子一掃，一股狂風捲起了兩個人，消失在墓室中。他仰天大笑了幾聲之後，漸漸地閉上了眼睛。

第三個墓室在一道神秘的白色光芒之下發出了淡淡的霧氣，最後，整個墓室消失得無影無蹤。

在一群人譁然下，長風和王婷婷突然出現在了另一個墓室裡，這是第二個墓室的中間。幾乎所有人都圍著他們兩人，瞪大了眼睛，張大了嘴巴看著他們。

王博士最先驚呼了起來：「長風！」

隨著他的叫聲，陸續有人輕聲低語。這群考古人員又開始了他們的各自的工作，三個人手中拿著儀器，在王博士的背後站著兩個人，長風認識，一個是曾敏儀，另一個是老劉。

「長風！」曾敏儀哽咽地叫了一聲，眼裡滲著一圈淚水。

王婷婷一看不對勁，這長得斯斯文文的女孩怎麼見到長風就想哭？一股醋意頓時湧上心頭。她挽著長風的手臂，白了長風一眼，偷偷地掐了一下他的手臂，然後微笑著看著曾敏儀，大聲說道：「長風，你看敏儀妹子似乎有很多話要跟你說喲！」

長風皺了皺眉頭，這氣氛似乎不對勁。

曾敏儀發現自己失態，看了一下四周，理了理思緒，偷偷給長風一個眼色。

老劉和王博士走了過來，驚愕地看著長風，兩人用手在長風身上不停地亂摸，兩個穿著藍色制服的人員則用一個透明的探測器在他周圍不停地掃描著。

「喂！喂！」長風給他們摸得渾身不舒服，大聲叫道，「幹嘛？你們要幹嘛？要摸回家摸自己老婆去，別搞錯對象。」

「看，他們周圍的磁場正以幾何速度減少！」一個戴著眼鏡穿著制服的人員看著手中的電子儀器，不斷地按著儀器上面的按鈕，不停地記錄著上面的資料。

「對了，長風，給你介紹一下，他們是……」

「破天！」長風看著這幾個人，打斷了王博士的話，從嘴裡擠出了這兩個字。

高老大大方地走了出來，身手說道：「我姓高，久仰完顏先生大名！」

長風冷眼看著高老大，沒握手的意思，不屑道：「我也久仰破天大名！」說完，冷哼了一聲，拉著王婷婷往外就走。

「高老大，他們身上有K&D射線殘影！」一個人叫了起來。眾人臉色一變，一齊望向高老大。

高老大攔住了長風的去路，說：「完顏先生，能否方便留一下？」

長風臉上一冷，怒氣漸漸上了眉頭：「我小的時候你們就留不住我，妳認為現在你們能留得住我嗎？」

「如果破天對完顏先生幼時造成影響，我代表破天向您道歉！」高老大很認真地對長風鞠了個躬，這一下倒是讓長風覺得不好意思。

「現在只借用完顏先生十分鐘，十分鐘後，完顏先生要去哪兒，沒有人會阻攔，而且我保證，從今以後，破天的人不會再騷擾您！」

長風心裡琢磨著，這倒是個好生意。但是王婷婷卻一臉不滿，她對長風跟破天的事情知道得不多，但是聽得出來，這個破天是一個組織，而且這個組織在長風小的時候經常騷擾他，不禁來氣，一臉殺氣看著他們，說道：「如果我說不呢？」

高老大看到長風不語，知道已經同意了，微微地向他點頭致謝，轉頭看著滿臉殺氣的王婷婷，微笑著撥了一個電話，然後把手機遞給了王婷婷。

王婷婷十分奇怪，這是什麼意思？她疑惑地接過了電話，沒過幾分鐘，她那殺氣便漸漸地消失了。

那幾個穿著藍色制服的人急忙拿了一些奇奇怪怪的儀器，在他們倆身上仔細地檢查。看到長風那種古怪的表情，王婷婷無奈地搖頭，苦笑道：「電話那頭是我授藝的師父，王大海！」

王大海是破天中的一員，儘管王婷婷頂多算他半徒弟，但是，他說的話，王婷婷從來不敢違抗。

十分鐘後，敏儀走到長風身邊，伸出了手，十分客氣地說道：「可以了，謝謝你，完顏先生。」

長風愕然了一下，握了握手，然後拉著王婷婷向外走，順道還向王博士和老劉道別。剛出了墓室，王婷婷趁著沒人的時候，停住了腳步，一臉不滿道：「那小妮子跟你握手的時候給了你什麼東西？」

「死丫頭，就是眼尖！」長風笑罵了一下，把手掌一開，是一個紙團。

王婷婷瞪大了眼睛，嗔罵道：「好啊，你們發展地下情！」她搶了過來，打開那紙條之後，突然間身子一顫，愣在了那裡。

長風湊過去一看，上面寫著：任天行被殺，遺體在泗水村附近別墅！

「任，任……大哥死了?!」王婷婷吞吞吐吐地看著紙條，不敢相信這是真的。

長風看到這幾個字之後，身子也震了一下，但是沒過多久，他撕碎了紙條，意味深長地說：「任天行不會死的，這裡面有問題！」

兩人出了古墓，在考古隊的宿營地拿了一些基本物資，又重新走向來時的路，第二次踏足死神禁地。

看著他們的遠去的身影，高老大歎了一口氣。

旁邊的曾敏儀拿著一份報告遞給了她。「他們出現得很突然，周圍憑空冒出很強烈的磁場，他們身上帶著K&D射線殘影。這些磁場強度和射線強度，是普通情況下最大値的一千多倍。」

「跟總部聯繫了沒有，核對好數値了嗎？」

曾敏儀點了點頭，說道：「總部那邊給的數値跟這些相近，這說明，他們是用一種類似九宮陣的陣式，從一個地方傳送到另一個地方。」

高老大嘴裡喃喃道：「嗯，太好了，這些數値對我們的參考太有價値了，如果我們能把這個公式研究出來，就能透過電腦，真正地解讀古代陣法的奧妙，如果順利，我們甚至可以建立一個陣式傳送帶，利用古代陣法的原理，直接從這一頭穿梭到另一個地方。」

又翻了另一頁，她抬頭問道：「王博士在第二墓室見到的那些幻象，是怎麼形成的，這個妳研究過沒有？」

曾敏儀「嗯」了一聲，指著一張照片說道：「看，這個墓室的長明燈的擺設和花崗岩岩壁形成的角度，再看看地上的那個八卦圖，初步判斷，是因爲這三者之間的配合讓四周在不斷地折射和反射，映射成了海市蜃樓。」

「四面的映射都是海市蜃樓？那交錯的光線怎麼處理？」

「這就是神秘的地方，除此之外，還有兩個問題需要我們考究，第一個是這個古墓四周的大塊花崗岩，是誰有這樣的能力，在這種絕地建造這個古墓？第二個是第三個墓室，老劉和王博士已經炸開了那個墓門，可是，裡面什麼都沒有，就是一堵牆。」兩人說到此，驚訝地看著對方，王博士沒有老眼昏花，小關和小杜也確認，長風和王婷婷兩人就是進入了第三墓室。

他們出第三墓室的時候，沒有從墓室門口出，而是憑空出現在眾人面前，這是大家都看得到的。

在古墓裡考古，經常會發生各種各樣怪異的事情，這一點眾人習慣了，但是這次不同，他們零距離接觸了這次怪異的事件，那就是長風的來和去。

「長風，我們要去哪裡？」當王婷婷從長風的嘴裡得知一切關於他們完顏家族的事情之後，不禁臉色大變，提心吊膽地喊道，「難道你真的要去找任天行？難道你真的要去殺了他？你別忘了，他跟我們是朋友！」

「朋友？」長風低聲地念著這個字，迷茫地看著前方。他肩膀隱隱作痛之下，他想起了先祖，想起了西藏那個被屠殺的村民，想起了那個藏族的姑娘。

他腦海裡浮現出父親身上沒有一寸完好的皮膚，滿目瘡痍，這就是任家的詛咒，這就是任家對完顏世家幾千年來做的好事。

王婷婷在他背後追著喊道：「你說話啊！你要幹什麼？你要幹什麼？」

她停住了腳步，看著這個男人的背影，不禁爲這個男人留下了一滴眼淚。她忽然間明白了這個男人的辛酸。

他不是不在意朋友，他跟任天行同生共死，肝膽相照，猶如親兄弟一般，寧可把自己性命交給對方，也不讓對方受到絲毫的損傷，可是現在，她知道，這個男人心裡在滴血。

他肩上扛著他們家族的使命，他要破除詛咒，他爲了家族的尊嚴，不得不拿起了自己的劍，面對著曾經跟他同生共死的兄弟。

第 168 章

屍王爭霸

來人身上穿著一件黃色的戰袍，手裡拿著一把帶有白色霧氣的刀，赫然就是任天行！五彩斑斕屍不愧是屍王，居然通靈，上下先打量了任天行一眼，之後低吼了一聲。

下雨的天氣裡往往會有驚心動魄的事情發生。這兩天，天空終於放晴了，晚上的月亮非常皎潔，再過兩天就是中秋！

一個又矮又胖的老年人和一個年輕人手上提著一堆東西，正急匆匆地走出市集，往郊外趕去。他們盡挑人少的地方走，背後有一個人正悄悄地跟隨著。

到了郊區的一個林場，他們在一處廢棄了的木屋停了下來。

「師父，這些東西只夠我們兩天吃的，他們怎麼辦？」

「他們？」那矮胖子看著一眼木屋，冷笑了一下，說道，「今天日本那邊再不把錢打過來，我們就上日本去。這幫人不是喜歡F縣嗎？讓他們永遠留在這地方。」

放下了東西，兩人給神壇上了香，拜了拜，矮胖子的手機突然間響了起來。

「賴老先生嗎？我是小犬亂次郎先生的翻譯，很榮幸能跟您通話！」電話那頭一個人用一口很流利的中文跟這矮胖子打招呼。

「告訴小犬亂次郎先生，今天是你們最後的期限，你們還有三千萬的帳款沒有匯到我戶口。」

「賴老先生，小犬亂次郎先生的意思是請您幫忙想辦法，先把櫻子和德川賴戶先生救出來，他會在後面一次性給你加倍打款……」

「請告訴他，他會爲這句話付出代價！」矮胖老頭大吼了一聲，打斷了那個翻譯的話，狠狠地把電話給摔到牆上，大罵道，「我操你爺爺的小日本，當我是三歲小孩子！三生，把他們都拉出來！」

賴三生應了一聲，踹開了木屋的門，裡面傳出一陣驚叫聲。

一共十一個人，全部穿著白褂，被一根繩子拴著，在賴三生拉扯下，搖搖擺擺地全被拉了出來。

矮胖子冷笑了兩聲，對賴三生使了一個眼色之後，看著這十一個臉色蒼白、渾身無力的人笑道：「你們日本人不是很團結嗎？不是很守信用嗎？可是我告訴你們，你們的後台老闆德川家健和小犬亂次郎根本不在意你們的死活。」

一個額頭高高的人用日語大罵道：「渾蛋，小犬亂次郎一定會來救我們的！」

矮胖子聽到賴三生的翻譯之後，哈哈大笑：「你們被圍剿的時候，是誰救你們的？是我！是我把你們這些所謂的科學家帶到這裡藏起來，讓你們不被發現。要不是你們的小犬亂次郎承諾給我錢，你認爲我會冒險救你們嗎？」

「可是，小犬亂次郎今天是第三次失信於我！嘿嘿嘿！」矮胖子對他們陰森森地笑著，眼睛不斷地掃在他們身上，最後冷笑道，「今天，我就讓小犬亂次郎後悔，讓他知道得罪我的後果！」

賴三生手上拿了一堆布條，走到他們後面，把布條塞進了他們的嘴裡。這些人不知道他要幹什麼，但是知道絕對不是什麼好事，掙扎著大喊大叫，可是嘴上被塞上了布條，叫都叫不出來。

賴三生搬來了一張小桌子，上面佈滿了各式各樣的奇怪東西，看起來就是道士的法壇，有米、黃符、鈴鐺、桃木劍，還有三個插著香燭的香壇。

「丁零！丁零！」賴三生站在他師父後面，不間斷地搖著鈴鐺。

矮胖子盤膝坐在法壇面前，嘴裡念念有詞，撒了一把米在前面之後，拿起桃木劍，用劍尖點在朱砂上，然後在黃符上面畫了一個一個的咒語。

矮胖子把黏在桃木劍上的黃符放到香燭上，焚燒了之後，大聲叫道：「祖宗們，出來吧！祖宗們，出來吧！」

在叫喊聲中，賴三生一邊搖著鈴鐺，一邊拿著匕首，漸漸走進了中間那個比較胖點的男人前面，匕首一劃，那人脖子上的大動脈被劃破，一股鮮血噴了出來，空氣中充滿了濃重的血腥味。

「嗚！嗚！」那被劃開脖子的男人慘叫著，叫聲卻被嘴巴裡的布條擋了回去。

他瞪大了眼睛，驚慌地看向脖子處噴出如霧一樣的血，最後臉色鐵青，昏了過去。

一旁的人開始吼叫著，他們開始亂成一團，旁邊的一個男的還算冷靜，看到這人噴了這麼多血之後，急忙靠了過去，用自己的頭頂在這男的脖子上，試圖用自己的頭髮堵住那傷口。

「噗哧！」

輕微的聲音漸漸變大，在四周響了起來。

「祖宗們，起來吧！」一聲聲陰森的呼喚聲，伴著不時作響的鈴鐺聲音，氣氛顯得詭異至極。

「徒弟，把黃符貼上！」

矮胖子輕聲告訴了賴三生，兩個人把黃符貼在了自己的額頭上，然後不再吱聲。

地上的泥土漸漸地鬆了起來，一塊一塊的小泥土從地上亂彈了起來，似乎有東西從地下鑽出來。

這十一個科學家無助地相互依靠著，驚慌地看著地上發生的變化。

他們看到一個手指大小，像蚯蚓一樣黑糊糊的東西破土而出，之後是兩隻，三隻，之後緊接著……

天啊，那不是蚯蚓，那是人的手掌，乾癟的手掌和黑黑的五指從泥土裡面鑽了出來，手掌在地上不斷地搖晃著。

眾人驚叫了一聲，其中兩個女的已經被嚇得昏了過去。

手掌漸漸地把地面的土挖大，一大片土地變得鬆軟，最後呼的一聲，一個人直愣愣地從地上蹦了出來，接著，一塊木板從土裡朝天飛了起來，掉在了地上。那塊木板正是棺材蓋。

這根本不是一個人，準確地說是一具殭屍，青白色的臉，皮包骨頭，兩眼黑洞洞的，牙床又突又大。

「噗哧！噗哧！噗哧！」

又是三聲，三具類似的屍體從地上爬了出來，其中有兩具身上掛著一串串的珠子，身上穿著只有富貴人家才穿得起的綢緞。

「嗚！嗚！」

又一批人被嚇得兩眼一翻，暈了過去。

矮胖子瞪著眼睛看著這四具殭屍，聽到賴三生在旁邊低聲說：「師父，他們比起咱們在縣醫院下面給九菊派養的那幾隻殭屍，要弱很多。」

「廢話，這幾隻殭屍營養不良，自然沒得比了，噓，別說話。」

四具殭屍對著月光仰天低吼了一聲之後，一蹦一跳地轉過了身來，鼻子動了動，空氣中濃厚的血腥味刺激了他們的食欲。

「吼！」

四具殭屍興奮地吼了一聲，眼睛看著那十一個人，閃閃發光。它們漸漸地張開了嘴，向那些人撲了上去。

可憐那十一個日本科學家，被繩子綁住不能動彈，還被破布塞著嘴，就連死之前呼喊個爽快的權利都沒有。

聽著自己的脖子、手臂，甚至大腿被兩顆牙齒咔嚓咔嚓地咬了進去，鮮血咕嚕咕嚕地冒了出來，湧進那些殭屍的嘴裡的時候，他們悶哼了兩聲，就死了過去。

這四具殭屍估計被埋在地下許多年，餓得發慌，一下子便把這些人的血給吸得乾乾淨淨。原本飽滿的人體被吸成了一具具乾屍。

轉眼之間已經有八個人變成了八具乾屍，還剩下三個渾身在打顫，有一個褲襠已經濕漉漉的，被嚇得尿褲子了。

有兩個殭屍似乎還不過癮，把一個人的手臂咬了下來，在嘴裡不斷地嚼著，嘴角流出一絲絲殷紅的血。

矮胖子桀桀地獰笑：「祖宗們，喝吧，喝吧，哈哈哈！……」正放聲狂笑，突然間，他那笑聲活活地吞了下去，再也笑不出來了。

「通通」的腳步聲震盪在空氣中，讓他們兩人全身打顫。

那腳步聲漸漸靠近了，帶來了一股死亡的氣息。一雙死神的眼睛緊緊地盯在這個林場的工地上。

一個穿著金色戰甲的人突然間降臨工地的中間，它狂吼了一聲，那四具殭屍愣在那裡，眼睛呆呆地看著它。

這個人一身的金縷戰衣，胸口一塊明晃晃的護心鏡，在月光的照射下，顯得格外的妖異。它兩手繃直，臉上長滿了五顏六色的絨毛。

「老……老……老祖宗?!」矮胖子顫抖著，吞吞吐吐地擠出了一句話，一臉灰白，自言自語地說道，「居然把老祖宗招來了，這下完了。」

這個被稱成爲老祖宗的殭屍，就是殭屍之王，五彩斑斕屍！這是另一具五彩斑斕屍，是在玄陽寺裡發現的，號稱是漢代的衛府大將軍。

這具五彩斑斕屍比起在黑屋發現的那具顯得要詭異得多，它毛色紅潤，而且鮮髗，也許生前是大將軍，殺氣太重，讓人一看就嚇破半邊膽。

五彩斑斕屍對其餘的四具殭屍怒吼了幾下，那四具殭屍蹦跳著讓出了一條路。它驕傲地仰頭狂吼，然後蹦向那剩餘的三個人。

「咔嚓，嗞嗞滋！」

骨頭的斷裂聲和吸血的聲音不斷地傳來，三個人在慘叫聲中暈死過去。

吸完了這三個人血，五彩斑斕屍身上發出了一股淡淡的檀香味。賴三生推著他發愣的師父叫道：「師父，怎麼辦？」

「跑！快跑！」

兩人起身就想跑，可是他們的腳卻不配合，突然間軟了下來，一股無形的壓力籠罩在他們身上。

「師父，我的腳不聽使喚！」看著五彩斑斕屍一下一下地向他們跳過來，賴三生不禁心驚膽顫地喊。

「沒出息的傢伙！」矮胖子咒罵了一句，搶過他手中的鈴鐺，一邊搖一邊喃喃叫道，「祖宗們來幫忙！」

四具殭屍刷的一下，整整齊齊地排成了一排，在矮胖子號令下，猛地一跳，把五彩斑斕屍圍在了中心。

「走！」矮胖子一手拿著鈴鐺，一手抓了一把糯米，一邊退一邊搖著鈴鐺，喊道：「上！」他想利用四具殭屍暫時困住五彩斑斕屍，讓自己逃脫。

五彩斑斕屍看到這四具殭屍居然攔住自己，不禁大怒，兩手插在了一具殭屍的身上，用力一撕。

刷的一下，那殭屍被分成兩半之後莫名地起火，化成了一堆灰。

其他三具殭屍同時也插向了五彩斑斕屍，可是它們怎麼也插不進去。

五彩斑斕屍臉上盡是得意，手上又尖又黑的指甲對著另一具殭屍插了進去。它的指甲顯得格外的怪異，就連任天行也受不了那指甲的滋味，更何況這幾具普通的殭屍呢？

四具殭屍瞬間被它給活活地殺了。就在它狂吼之時，一絲紅色帶紫的刀光劃破了長空，帶著轟鳴的雷聲向它打來。一個鏗鏘有力的聲音怒喝道：「孽畜！還敢出來害人！」

來人一頭短髮，身上穿著一件黃色的戰袍，手裡拿著一把帶有白色霧氣的刀，刀身上刻著「奪魂」二字。

這人，赫然就是任天行！

五彩斑斕屍不愧是屍王，跟其他殭屍比，居然通靈，比起之前那具五彩斑斕屍，也顯得冷靜了許多，上下先打量了任天行一眼，之後低吼了一聲，撲向任天行。

矮胖子和賴三生師徒兩人撒腿就跑，十分狼狽，這可是他們第一次如此狼狽地逃脫，只是剛剛跑了不遠，他們前面站著一個人，似乎在等著他們。

兩人停住了腳步，相視看了一眼。前面的那人緩緩地轉過了身子來。

「還記得我吧，賴八！」殷達明一臉冷漠，眼睛盯著師徒兩人。

矮胖子沒想到來的是殷達明，愣了一下之後，微笑道：「殷縣長，好久不見！這麼晚了，居然有這麼高的雅興，出來乘涼。」

「乘涼？我是特地來等你的！」

「等我？」

「我女兒給我托夢，她說她非常難受！」殷達明冷冷地看著矮胖子，臉上露出了一股濃濃的殺意。

矮胖子硬是被這句話嚇了一跳，臉色一沉，說道：「殷縣長，這飯可以亂吃，話不能亂說……」

「我女兒還說，要你償命她才能投胎，那黑屋好冰冷，那水銀好脹痛。」

矮胖子聽到這句話後，心裡已經明白了，自己做的事情被殷達發現了，不禁哈哈大笑道：「殷縣長，別人怕你，我老道可不怕你！」

「是嗎？那就拿命來！」殷達明邪邪一笑，把兩人嚇得後退了幾步。

第 169 章

十三具屍體

一共十三具乾屍，橫七豎八地擺在那個廢棄的工地上。周圍一片狼藉，金縷戰衣的背面露出了一個口，一股變色的灰突然間從衣服裡落了下來。五彩斑斕屍被人給滅了！

中秋的前一天是一個晴天，這註定了第二天能看到又大又圓的月亮。

這一天，軍區非常的忙碌，直升飛機已經停在指定位置。江衛華向周芷慧報告道：「周師姐，直升飛機按時到達。」

「好，感謝江團長給予我們最大的支援，只盼下次有機會再聚。」

「周師姐下次如果有機會再來湘西，一定要回來看看！」

周芷慧莞爾一笑，說道：「要不是上面催得緊，我還真不捨得離開這裡。老劉他們那些考古隊都走了幾天了，我們沒有機會偷懶啊。我們走了之後，悅月小姐和古老先生你們可不能怠慢，不然，小心任老大回來你吃不了兜著走。」

「哈哈哈！悅月小姐和古老他們都是我們的貴客，平時想請都請不來，又怎麼敢怠慢呢？我打個包票，一定讓他們滿意，只要他們任何一個人不滿意，隨時可以向妳投訴，我把我腦子給妳提過去。」江衛華爽朗地哈哈大笑。

悅月和古晶他們相視一笑。眾人在一起這陣子，倒也相處得融洽，這個時候離開，心裡有點捨不得。

軍區大門口一陣喧嘩，一輛私家車呼嘯著闖進了軍區。

江衛華臉色一緊，說道：「我去看看怎麼回事！」

沒兩分鐘，江衛華後面帶著一個人跑了過來，是個一臉焦慮，非常憔悴的女孩。她一看到眾人，心情頓時輕鬆了幾分。

眾人沒想到竟是王婷婷這丫頭，怪不得敢開著私家車闖軍區，招呼都不打。

古晶見她臉色不好，一臉焦慮，一定是出事了，而且，能讓她這個瘋丫頭這麼擔心的，除了長風，沒有其他人選。

「丫頭，出什麼事了？」聽到古晶這麼一說，眾人眼光都集中在王婷婷身上。

王婷婷氣喘吁吁地吸了幾口氣，掃了眾人一眼之後，突然「哇」的一聲大哭，趴在古晶的身上。

眾人臉色瞬間沉了下來，他們心裡都知道，這丫頭性格剛毅，而且膽大包天，如今居然哭得這麼傷心，一定出什麼大事了。

「丫頭，丫頭！先別哭，說說出什麼事了！」古晶拍了拍她肩膀。

周芷慧也湊了過來，說道：「婷婷，是不是長風欺負妳了？」

「我寧願他欺負我，我也不用這麼擔心！」王婷婷帶著哭腔，留著眼淚說了一句話，又繼續放聲大哭。

眾人都不說話，過了一陣，她稍微好了一點，抽泣道：「你們要想想辦法，你們一定要想想辦法！」

眾人幾乎聽不懂她在說什麼。

悅月把她拉了過來，輕聲道：「別緊張，慢慢說！」

王丫頭看到是悅月，又開始哇地大哭了起來，抱著悅月叫道：「悅月姐，我們兩人好命苦啊。」

眾人哭笑不得，這丫頭怎麼哭著哭著，居然把人家給扯進去了。

「丫頭，妳倒是說淸楚啊，別讓我們糊裡糊塗的啊。」

王婷婷抽泣了好一陣，最後吐出了一句話：「中秋之夜，鳳凰山頂，長風和任大哥要決鬥！」

「什麼?!」眾人異口同聲地大叫了一聲。

這怎麼可能？黃風和大石頭驚愕地張大著嘴，對視了一眼。

可是，看著這丫頭這副表情，似乎不像開玩笑。悅月臉色一變，著急道：「他們關係這麼好，怎麼會決鬥呢？他們現在在哪裡？」

周芷慧他們一干人等都沉重了起來，長風跟任天行要決鬥，聽起來是天方夜譚。萬一這是真的，不管誰出事，這事情都很嚴重。而且，以長風的身手，任天行是沒法匹敵的，萬一任天行出事，那韋軍長那邊就不好交代了。

無論如何也不能讓他們兩人出事。

「趕緊去找他們，越快越好！」周芷慧對著江衛華和施絲大聲喊了一聲，兩人領命而去。

「婷婷，別擔心，這事情很快就過去，我們儘快找到他們，先看看他們有什麼解不開的心結。悅月，妳也別多想，如果任天行回來找妳，妳先弄清楚怎麼回事，看看能不能避免他們兩人相見。」周芷慧不愧是龍牙的統帥，遇事不驚，頭腦冷靜。

王婷婷嘴裡自言自語道：「心結，心結，他們的心結怎麼可以解開？怎麼辦？怎麼辦？」

在眾人一番質問下，王婷婷把和長風在古墓裡的親身經歷大致地說了出來。

長風的先祖完顏無忌在救那藏族姑娘的時候，見到任無名一身血跡，二話不說就一刀砍來，擺明了要置他於死地，最後兩人大戰，重傷之後，任無名還下了詛咒，讓完顏世家受了幾千年的苦。

這不再是個人與個人之間的爭鬥，而是牽扯到列祖列宗的事情，難怪王婷婷這麼驚慌失措。

悅月傻傻地站在一邊，細細聽著王婷婷述說，趁著眾人不注意，悄悄地離去。

正當眾人相互沉默的時候，Tom喊了一聲：「Shirly？Shirly呢？」

「別去找了，說不定她能找到任天行，這個時候讓他們倆碰個面也好！」何博士長歎了一聲。

「何老頭，你不開口沒人當你是啞巴，你這話就像要生離死別一樣！」王婷婷瞪大了雙眼怒斥何博士。

她想到「生離死別」四個字，不禁又哇的一下，大哭了起來。

古晶看著王婷婷，自己雖然是她的掛名師父，但是對於她的疼愛，絲毫不亞於馬峻峰。他當然知道爲何王婷婷這麼傷心，緩緩地說出一句話：「黃風，你叫大家去把悅月給找回來。」

悅月和王婷婷兩個女人的經歷非常像，真怕她會出什麼事情。

王丫頭曾經跟任天行一同對付五行人，在兩人生命垂危之際，一個保護一個，那種同生共死的經歷，誰也無法忘懷，兩人的感情早就像兄妹、知己一般深厚。而現在，自己心儀的男人要跟他對決，不管是誰受了傷害，她都無法接受。

更何況，這不是一般的對決，這是一場生死之戰！一場無法避免的大戰。

悅月就跟王婷婷一樣，長風曾經捨命救過她，在黑子向他們撲來的時候，長風用身體緊緊地把她壓在自己身下。她從長風身上，得到了眾多寶貴的資料，對她來說，長風是一個亦師亦友的恩人。而任天行呢，這個風行雷厲、做事果斷而又渾身充滿陽剛魅力的男人，也讓她心服口服，如今，這兩個男人居然要決鬥。

悅月複雜的心情，比起王婷婷有過之而無不及。

人老精，馬老靈，古晶一眼就看透了其中的關鍵，叫眾人去把悅月找回來，並不是沒有理由。

「老古，我們時間不多了！」郭心妍和周芷慧把王婷婷拉走之後，何博士看著古晶，沉沉地說，「一定要美國那邊的人加快速度，從紐約的自然博物館裡面把我們要的資料拿出來。」

「剛子已經著手去辦了，還有兩個小時他的飛機就到紐約了，希望能儘快有消息。」古晶看了一下手錶，心事重重。

他把希望放在剛子的身上。紐約的自然博物館裡，珍藏了許多無價的古籍，這些古籍是西方人士從古至今的收集，特別是在清朝末期至今，讓那些收藏家發了一筆又一筆的橫財。

江衛華給周芷慧帶來了一則消息：有人報案，縣郊區的一個林場廢棄工地裡發現了眾多屍體，這件事公安局懷疑是集體事件，因此呈報給軍區。

周芷慧叫江衛華把這則消息封鎖住，帶著謝坤他們一夥人一起往林場去，王婷婷和郭心妍、Tom他們正好也在場，就一起跟了過去。

等周芷慧他們到了那裡之後，發現問題古怪至極，急忙通知古晶來幫忙。古晶他們收到消息之後，急忙也趕了過去。

一共十三具屍體，不，應該說是十三具乾屍，橫七豎八地擺在那個廢棄的工地上。周芷慧他們拍照取證之後，古晶正好也趕到。

看了四周一遍之後，古晶示意法醫把那十三具屍體擺好，讓他們奇怪的是，其中十一具乾屍的手被人用麻繩串在一起，嘴巴裡都堵上了一塊布。

王婷婷蹲在地上，仔細地看著這些人，然後看著地面上的腳印，走到木屋裡面。出來之後，她侃侃說道：「這十一個人之前被人關在木屋裡，裡面的一個饅頭已經發黴，從跡象看，應該有一周左右。你們看，這是他們留下的一些資料。」

把資料遞給周芷慧之後，周芷慧皺了皺眉頭，對江衛華說道：「讓警察局那邊配合，查一下出入境記錄，叫法醫跟警察局那邊配合，看看有沒有線索。」

周芷慧仔細地看著這些人的制服，之後說道：「他們是那些做活人實驗的科學家，原來他們都跑到這裡來了，難怪我們圍剿了三個基地，才捉了十多個他們的工作人員，我說怎麼這麼少，原來都躲到這裡來了。」

黃風在一旁細細地看了一遍，對大石頭說道：「去叫法醫過來，把這一堆灰色的東西給收集起來，拿去化驗。」

「這些人死得很奇怪，十有八九是被殭屍咬死的！」古晶指著那些乾屍說道，「看，脖子動脈處的兩個洞，是殭屍牙咬進去的，正好把動脈給咬斷。」

「咦，這個人脖子被利器劃破，有人故意放血！」古晶看著那個被匕首劃破脖子的人，眼睛一轉，落在了一個小桌子上。他走到了那桌子旁邊，在地下撿到一張殘缺的符咒，看了一眼，說道：「禁陽咒！」

何博士納悶地說道：「難道有人養屍？看，這兩個人跟那十一個人死法不一樣，慘得多。」

大石頭看著眼熟，最後叫道：「這人不就是逸品茶軒的那個老闆嗎？」

他輕輕地掀開了他們的衣服，古晶和何博士不禁愕然。

這兩個人死得很慘，胸膛的肋骨大部分被打斷，塌了一大片，一根肋骨還戳穿了胸膛，從背後凸了出來，渾身瘀青。

黃風驚訝地看了一眼，說道：「奇怪，奇怪！這手臂是被人扭斷的，要扭斷這部分的骨頭，起碼要三百公斤的力道。而且，看這痕跡，這兇手的力道非常大，三百公斤力道對他來說一定是小菜一碟。」

「不只是這樣，你看，這年輕人的頷骨凹了下去，兇手一定是這樣——」大石頭做了一個動作，五指印在額頭上，然後慢慢地收縮。

人的額頭硬度非常大，要憑著手指把頷骨掐得陷下去，這是什麼樣的力量？就算是用鐵錘用力一敲，至多也是凹下一角。而這頷骨上顯露出來的痕跡，說明是五指均衡地凹下去。

除此之外，兩具屍體全身找不到完整的地方，就連小腿骨也發現了骨頭斷裂的地方，拳頭被人捏成了一團肉團。

「好大的怨恨！」周芷慧嘴裡迸出了一句。

Tom和郭心妍根本不敢細看，他們心裡只有「變態」兩個字。

黃風朝古晶叫了一聲：「古老，請過來看看！」

黃風的前面有這一堆灰末，褐白色的灰末一堆一堆的，一共四堆，圍成了一個圓。古晶捏了捏，不明白這些東西是怎麼來的。

郭心妍仔細地看了一下之後，抬頭跟眾人說道：「是骨灰！」

「按照這個骨灰的成分看，是被超高溫吞噬的，沒有三千五百度的溫度根本沒法燒成這樣。奇怪，真是奇怪！」郭心妍小心翼翼地把隨身帶的一個真空實驗瓶打開，收集了一些灰末。

周芷慧把這一切看在眼裡，心裡佩服道，難怪SUPER組織這麼厲害，有這樣細心專業的人才啊。

一名士兵匆匆跑到大石頭身邊，在他耳邊嘀咕了一陣之後。大石頭驚訝了一下，然後跟著這士兵離開，過了不久，匆匆地跑了回來，對著眾人說：「前面發現了點東西，大家跟我去看看！」

跟著大石頭，眾人走到離工地五百米的地方。到那之後，周圍那些林木有的橫七豎八地倒地，似是被人砍倒，一些粗大的樹上面還印有幾個像手指一樣的洞。

「看，這棵樹是被人連根拔起的！」王婷婷驚叫了一聲，指著一棵倒下的樹，樹根周圍的泥土都翻了厚厚的一層。

再往裡面進去，一大片林木被砍倒在地上，殘枝敗葉稀稀落落，黃風看到被砍斷的樹，失聲叫道：「刀痕？這些樹是被人一刀砍斷的，乾淨俐落。」

有誰能用刀把至少大腿粗的樹一下砍斷？這樣的力道簡直讓人不敢相信。而其中一部分樹居然枯黃了，整個樹幹發出一種惡臭，一個士兵輕輕一推，那棵樹啪的一下應聲而斷，斷口處濺出幾滴液體，灑在那士兵的臉上。

剛走了幾步，那個士兵突然間號叫了起來，整個人就像中邪了一樣，全身發黑，身子哆嗦了不到十秒鐘，就不動了。

江衛華對著眾人大喊：「大家小心，別碰那些樹，有毒。」

古晶看了這士兵的屍體，徐徐地說道：「屍毒！」

終於，到了一片稍微大一點的曠地，這曠地看起來幾乎是被人把整個地皮翻了起來，一片狼藉，而在一處，一個明晃晃的東西在閃動。

眾人都圍了過去，仔細一看，是一件衣服！這幾乎就是一件戲服，現代人有誰會穿這樣的衣服？

大石頭輕輕地把衣服拿了起來，衣服的胸口處有一個明晃晃的護心鏡，衣服很沉，上面還鑲有很多的銅片。除了衣服，還有幾件縐巴巴的布衣。

何博士輕輕地說道：「金縷戰衣！」

只可惜這金縷戰衣的背面露出了一個口。拿起這衣服的時候，一股變色的灰突然間從衣服裡落了下來。

「又是骨灰！」

「我怎麼覺得這衣服很眼熟！」

「我也是，是在哪裡見過？」

眾人面面相覷，最後他們猛然想起來這衣服的來歷，不禁瞪大了眼睛，喉嚨裡咕嚕一下響。考古隊在玄陽寺發現的那三十四具屍體中，有一具屍體穿的就是這件衣服。這具屍體據說是漢代名將衛青的後裔，一個大將軍，叫衛紅林！而且，發現它的時候，它身上長著五彩斑斕的茸毛。

古晶良久才能說出話來：「五彩斑斕屍！五彩斑斕屍！」

他不敢相信，這五彩斑斕屍被人滅了！那個白色的灰末就是這五彩斑斕屍的。

看來，那工地上的四堆骨灰，也是殭屍的！

第 170 章

陰體

他來到那個曾經是湘西趕屍人停屍的黑屋，忽然間感覺到裡面有東西。人的身上會有人氣，但是這不是人氣，這是一種冰寒陰冷的感覺。他的鼻子聞到了一種陰冷的味道，這種味道帶著一絲茉莉花香。

他們一群人相互看著，已經能猜出這裡發生了什麼事情。

這件事後沒幾天，網站新聞上有一個很大的新聞標題：十一名日本人莫名被殺，中方刻意封鎖消息。

這件事在國際上引起轟動，眾多輿論隨之而來。所有的矛頭都指向了中國政府。而在這個時候，又一篇新聞讓整個世界都轟動了起來，標題是：日本人被殺純屬謠言，挑撥者居心叵測。

出入境辦公室開了一個新聞發佈會，並證實了凡是出入境有記錄的日本友人，在中國的至今都能聯繫得上，挑撥者居心不良。

新聞發佈會現場，有一個日本記者說道：「經過DNA和指紋鑑定，在湘西F縣發現的十一具屍體，都是日本十幾年前失蹤的科學家，請問如果是謠言，這個問題您該怎麼解釋？」

出入境的一個領導接過話筒，笑著說：「如果真有這件事，那我們就要問日本方面的相關機構了。我們出入境都是按照國際出入境法規辦理，進出中國的都有資料記錄。但是對於這十一個人，我們出入境居然沒有任何消息，難道他們是偷渡來中國的嗎？而且，請各位媒體朋友注意，凡是沒有經過合法手續進入中國的，出入境沒有記錄的，都是屬於非法入境，此外，進入我們中國的這些人都是科學家，他們要幹什麼？」

「日本的生活水平要比我們高很多，你們相信有人會偷渡來中國嗎？剛剛問話的那個日本記者朋友，請您回答我這個問題。」

那個日本記者原本得意揚揚地看著出入境的人要怎麼回答他這個問題，沒想到被人反問了一句，不禁愕然，說不出話來。

其他的記者把焦點都放在了這個日本記者的身上。這日本記者灰溜溜地離開了現場，眾多記者追了過去。最後，那個日本記者被世界媒體同行起了一個尊稱，就是：世界上最齷齪最卑鄙的記者。因爲，他手上的那份ＤＮＡ和指紋鑑定文件，被人說成是僞造的。

中秋前夕，在鳳凰山山頂上，兩個人盤膝坐在了一個墓地之前，月光輕輕地籠罩在他們兩人的身上，在他們身上的某處，冒出一股股的青煙。

仔細一看，冒出青煙的地方，衣服破爛，裡面皮肉模糊，而在月光照射下，青煙漸漸冒出來，那一片皮肉正在癒合。

「殷達明，沒想到你居然不怕死，殺了賴八師徒之後，居然不走，還敢來跟屍王搏命！」

「屍王？哈哈哈！」殷達明仰天大笑，說道，「真正的屍王，現在在我面前，就連那個老鬼也未必能比得上你！」

任天行淡淡地說道：「那個老鬼到底是什麼人？」

「不是人！它不是人！」殷達明提到它的時候，眼睛裡還藏著一絲懼意，最後說道，「我之所以變成這樣，就是它所賜。」

殷達明看著任天行，又看了一下自己，不禁嘖了一下，說道：「屍王就是屍王，連身上的傷都痊癒得快。我這一身傷，起碼要修養一個月，那具五彩斑斕屍真是厲害，要不是有你，我早灰飛煙滅了。」

任天行哈哈大笑：「你殺了賴八師徒，原本可以跑，但是你沒有，你就不怕萬一我也不敵，你就賠上性命灰飛煙滅？」

「我要是跑了，我就對不起我女兒。我也沒資格把她的生命託付給你。」

任天行瞪大了眼睛問：「這麼說，你是吃定我了？」

「我不否認！」殷達明倒是很坦白，說道，「一個有著人一樣軀體的殭屍，這是多麼的完美！」

「你知不知道，三十多年前，我變成殭屍，就再也不能在陽光下生活，只有到了晚上才有活動的空間。只有晚上，我才能做我要做的事情。」

任天行點了點頭，他居然很佩服這個男人，這三十多年來，光是工作上的應酬，就已經讓他花費了心思。他把白天的工作轉換到了晚上，居然不引起別人的懷疑，這個本事不是一般人能有的。

「你是不是對我很好奇，爲何一些屍體變成殭屍，需要這麼長時間，而且身子僵硬，但是我卻沒有跟它們一樣？我甚至和西方的那些吸血鬼很相像，除了不能見陽光，要喝血之外，其他的都跟常人一樣。」

「爲什麼？」

殷達明冷冷地說：「那就是因爲那個老鬼！三十多年前，在廣西十萬大山裡，有一個村落，那個村落的人都是獵戶，我家就在那裡。那個時候，我才剛剛結婚沒多久，老毛病就復發了，後來請了一個醫生來村裡看病，那個醫生說我得了腦癌，還有兩年的命。」

「有一天晚上，我疼得受不了了，腦袋像裂開一樣，我想到了死！我到了一個山崖之前，往下面一跳，誰知道，當我醒來的時候，被一個神秘的男人救了。」

任天行沒想到他還有這一遭，問道：「這個神秘的男人就是你說的那個老鬼？」

殷達明點了點頭，說道：「雖然他救了我，但是我絲毫不領他的情，因爲死才能讓我解脫，沒有人能治得了癌症。因此，我三番五次尋死，每一次被他發現，他都要搧我幾巴掌，打得我鼻青臉腫。」

「最後，他對我厭煩了之後，罵我沒出息，枉爲殷家的人，但是，他不知道，我們殷家幾十代人，一直就在十萬大山裡面打獵，有誰有過出息？那天他對我說，要我活下來很容易，但是要死很難。那個時候，我根本不明白他說這話是什麼意思。等到我被他咬了之後，我才明白他的意思。原來他不是人，是殭屍！」

「你就是這樣變成殭屍的？」

「從那天開始，我開始怕見到陽光，喜歡月亮，喜歡晚上。那個時候，我很感謝他賜給我這麼強壯的身體，一隻老虎見到我之後，聞到我的氣味轉身就走了。」

「那個老鬼說我很幸運，我是他的第二個親傳，他第一個親傳的，是在西歐一個叫莉莉絲的女孩。這人是誰我不知道，但是西歐那邊的殭屍家族，據說是莉莉絲的天下，萊恩和梅森兩大家族都被這個人控制著。」

任天行自然不知道這個莉莉絲是誰，如果這話給古晶或者何博士知道，一定會讓他們大吃幾驚。

不過，聽殷達明這一說，也讓他吃驚不小，對這個老鬼頓時好奇起來，沒想到他居然能控制著這兩個家族。

任天行突然間有一個想法，他問道：「這個『活祭』計劃裡，有一個代號叫『獵人』的人，是不是他？」

殷達明不敢確定，委婉地說道：「很有可能就是他！」

殷達明受的傷很重，緩緩地閉上了眼睛，努力地吸著月光。

良久，它才低聲說道：「我現在不怕死，我甚至期待著死亡。我這一條命並不重要，我現在擔心的是小菡。」

「我會找到她的！」任天行站了起來，拿著那把奪魂刀，頭也不回地走了。

望著任天行的背影，殷達明低聲地說道：「我知道你會找到她，你是個男人，你一定能保護她的。任家世代是武學世家，個個都是英雄好漢。但是，這世間還有一個完顏世家，我真正擔心的在這裡。」

任天行偷偷地走了一趟破天，破天裡面一群人在忙忙碌碌的，但是卻找不到高老大和雙子他們。

王大海跟一幫人趴在電腦上面在思量著各種各樣的的招式模型。

偷偷地走了一圈，沒有看到殷小菡。

沒有找到殷小菡，他心裡居然感到空空的，出了破天之後，漫無目的地走著。不知不覺，他來到了那個黑屋，那個曾經是湘西趕屍人停屍的黑屋，那個曾經困著一個陰靈十幾年的地方。

走進了黑屋裡，他忽然間感覺到裡面有東西。

人的身上會有人氣，但是這不是人氣，這是一種冰寒陰冷的感覺。這種感覺更多的是靈體的氣息，嘰咕就是一個例子。

任天行最近對於這種感覺非常靈，微微地攥緊拳頭，一步一步地走了進去。

推開那扇門之後，眼睛掃了一下四周，空空的，什麼也沒有。但是他的鼻子聞到了一種陰冷的味道，這種味道帶著一絲茉莉花香。

尋著這絲味道，他眼睛不斷地掃視著。突然間，一聲驚訝的嬌聲響起：「咦，是任老大？」

一個嬌影瞬間落在了他面前，任天行想不到這個人居然是殷小菡。

「殷小菡，是妳？」

「怎麼，我在這裡很奇怪嗎？」

「不奇怪，妳是來悼念妳未曾見面的姐姐嗎？」

「你，你……」殷小菡驚訝地看著他，這是她的秘密，就連高老大也不知道，不禁問道，「你怎麼知道？」

任天行淡淡地說：「妳的名字是妳父親懷念妳姐姐才給妳取的，而且，妳剛剛才知道妳姐姐的屍骨在這裡不久。」

「任天行，你到底是誰？爲什麼你什麼都知道？」

「妳姐姐被人害了之後，被封在這裡，是我和長風第一個發現的。」任天行平靜地看著那個大柱子，「這柱子已經被封好了，當時長風還特地在這裡畫了一個咒語，讓她能平平安安地走，下輩子投到一個好人家去。」

任天行把殷達明跟他說的事情一五一十地說給了殷小菡聽。殷小菡本來不敢相信，但是他說得沒有一絲偏差，讓她不得不相信。

「我父親傷得怎麼樣？」

任天行說：「很重，不過死不了，妳跟我走，我帶妳去找妳父親，你們一起離開湘西。我會安排你們到一個誰也找不到的地方去。」

「我不能走！」殷小菡搖了搖頭，說，「我不想拖累他。」

「妳是怕那個老鬼？」

「這只是一個原因之一！」

「其他原因呢？」

殷小菡看著任天行，說道：「你難道沒有看出我跟別人不同嗎？」

任天行仔細地打量著殷小菡，伸手摸了一下她的脈搏，說道：「妳身上沒有人氣，又不是殭屍，一身陰氣對妳身體損害很大，而妳居然還活著，這是怎麼回事？」

「這就是我不能走的原因！」殷小菡低聲地回答，說道，「那個老鬼在我身上做了手腳，沒有解除之前，我不能離開它。」

在任天行的質問下，殷小菡才娓娓道出其中的緣由。

韋嘯天在殷小菡小的時候發現了她，並在她身上發現了一本古書，上面寫著「魅影」的練法，而那個時候，殷小菡已經練成了魅影，因此被帶進了破天。

那本古書是那個老鬼故意放在她身上的，殷小菡也是它訓練出來的。要練魅影，要從小開始練，在出生的那一刻，就要準備好一盆屍水，把這出生的孩子放到水裡浸泡，給她洗禮，然後連續五個月用屍水洗澡。睡覺得時候，還要把孩子放在兩具腐爛的殭屍中間。

這樣是爲了去除人氣，只是不知道這個老鬼用什麼方法保證這孩子不生病。

等到長大了之後，殷小菡被帶到一個地方，然後每天就睡在一張冰涼的席子上，那席子下面的泥土裡全塞滿了剛剛死去不久的屍體。房子的上面掛滿了各式各樣的袋子，裡面裝著碎玻璃混合的石灰粉，用這樣的方法把陰氣吸到骨子裡去。

一個人如果陰氣太盛，就連影子都沒有，沒有影子是魅影的基本功。而身法、技巧都是在基本功練成了之後才練的，這樣練起來事半功倍。

殷小菡說道：「如果我一旦離開那個老鬼，我的陰氣不足，就會使我的身體變異，甚至會全部腐爛，這是功力反噬的後果。」

任天行心裡一沉，這下麻煩了，答應了殷達明要救他女兒，如果救不了，豈不是失信於他，著急地問道：「怎樣才能夠幫妳？」

殷小菡有點絕望，轉身看了一下她姐姐死的地方，摸著那大柱子，低聲說道：「除非我死……」

任天行失聲叫了一下，他沒想到，要救殷小菡的代價是這麼大，顫顫道：「難道就沒有別的辦法了嗎？」

殷小菡苦笑著反問道：「難道你有能力讓我這一身陰氣消失？」

這一身陰氣根深蒂固地扎在了她身上，比吸毒的那些人還要不能自拔。但是，讓殷小菡意外的是，任天行在思量了一下之後，居然點了點頭說：「我試試！」

第 171 章

用心良苦

殷小菡那蒼白略青的臉，在嘰咕幫助下，變得有了點血色，可是，才剛剛高興沒幾分鐘，殷小菡的喉嚨突然間咯咯響了一下，吐出了一堆黑色的血，之後就昏倒了過去。

任天行沒有理會殷小菡的驚愕，隨即把殷小菡帶到了鳳凰山山頂的一個山洞裡跟殷達明會面。

等父女倆敘舊完了之後，任天行要殷小菡盤膝坐了下來，然後從腰間把他的那把槍拿了出來。殷小菡驚訝地看著任天行，不明白爲何要用到槍。

殷達明也不理解，等到任天行把槍交給他之後，他才知道，這槍裡另有乾坤。

任天行把嘰咕給叫了出來，用自己的意念跟嘰咕溝通，試著讓嘰咕把殷小菡身上的陰氣給吸走。

嘰咕看著殷小菡，露出一副豬哥的樣子，這哪是叫它出來幫忙吸陰氣啊？簡直是色狼遇到了美女，光是饞相就把人給嚇走了。

當然，嘰咕跟人不同，它這饞相，是對殷小菡身上的陰氣流的口水，等到任天行把他的意思說出來了之後，它連連點頭，沒等任天行叫它開始，就撲了上去。

殷小菡的陰氣實在太重了，從小到大都是被這陰氣侵蝕，以爲這一生，沒有機會恢復正常了，沒料到會遇到了任天行，而任天行正好有一個嘰咕。

「噬魂」是一個巨大的陰體，這幾千年來不停地吸收著陰氣，就連泗水村那三百多號人也因它而患了失魂症，導致整個村滅亡。

但是，它被嘰咕給吞併了。

還有那些陰煞、養鬼仔，一樣不敵嘰咕，相對於這些，殷小菡身上的這些陰氣就顯得差遠了。

殷小菡得到了嘰咕的幫助，臉色漸漸好了起來，但是任天行不放心，叫嘰咕慢慢來，萬一出了意外，那就無法彌補。

殷小菡那蒼白略青的臉，在嘰咕第一次幫助下，變得有了點血色，殷達明十分激動，眼裡閃著淚花。可是，才剛剛高興沒幾分鐘，殷小菡的喉嚨突然間咯咯響了一下，之後「哇」的一聲，吐出了一堆黑色的血，之後就昏倒了過去。

殷達明見到女兒昏倒了過去，心裡一陣著急，但是他又幫不上忙，只能眼巴巴地用祈求的眼光看著任天行。

任天行把了一下脈搏，說道：「沒事，休息一陣就醒來了，小菡自小習慣了陰氣，突然間把陰氣拔出來，會有一些副作用的。」

果然，過了不久，殷小菡漸漸地醒來。

醒來之後，殷小菡眼裡布滿了血絲，十分的恐怖，所幸，除了眼睛布滿血絲之外，其他的倒沒有什麼不對勁的。

任天行心裡拿不定主意，萬一嘰咕再一次吸陰氣，誰能料到會有怎麼樣的後果？最後，他還是打定了主意，去請古晶過來，也許古晶能夠幫得上忙。

他把那把槍留給殷達明之後，往軍區的方向走去。

當他偷偷地走進古晶和何博士的那間辦公室的時候，這兩人正在仔細地翻看著剛子給他們發來的資料。

兩人絲毫沒有發覺有人進入了屋裡，等到他們回過神來的時候，任天行已經在他們背後站了很長時間了。

「天行？」古晶驚喜地叫了一聲。

任天行看著這兩個老人憔悴的臉，心裡一陣感動，說道：「謝謝你們！」

古晶和何博士兩人面帶喜色，把任天行拉到了一張桌子旁，然後快速地重新找了一疊資料，遞給任天行，說道：「你自己看看！」

任天行掃了這些資料一眼，心裡惦記著殷小菡的事情，急道：「這些先放一邊，我找你們有急事。」

「急事，什麼事情能比我這件事急？」古晶瞪大了眼睛反問任天行，在他眼裡，目前天大的事情都沒有阻止長風和任天行決鬥的事情重要。

何博士在一旁說道：「你先看看這些資料！」

任天行見兩人臉色似乎不對勁，低頭翻了一下這些檔。

古晶在一旁沉沉地說：「這些資料記載了一個很精彩的故事。」古晶簡單地說了一下他的故事。

當年黃飛虎大將軍麾下有兩個得力助手，這兩個助手跟他南征北討十幾載，戰功赫赫，而且武藝高強，忠心耿耿。

「這兩個將軍，一個叫完顏無忌，一個叫任無名。完顏無忌被封為右統帥，任無名是左統帥。除了黃飛虎將軍之外，朝歌朝野上下，沒有一個勇士能比得上這兩個人。」

說起這兩個人，任天行身子顫了一下，細細地聽著古晶的述說。

「紂王原本脾氣就暴烈，再加上妲姬的慫恿，整個大湯根基動搖，後來比干被逼死，梅大夫被炮烙而死，紂王大建酒池肉林之後，天下黎民痛苦不堪。紂王殘暴，不得民心，叛亂四起。黃飛虎大將軍被逼無奈，終於走上了『君不正臣反』的造反之路，投靠西周。黃飛虎大將軍投靠西周的時候，遺憾的是，他的兩名副將，有一名沒有能隨身而去。」

任天行驚訝道：「為什麼？」

「聞太師討伐叛軍，正需人手，因此臨時調度了任無名。黃飛虎投靠西周時，任無名正在戰場上。因此，跟隨黃飛虎將軍的，只有完顏將軍。」

任天行聽到完顏兩字，不禁冷哼了一下，極為不屑。

古晶沒理會，繼續說道：「任無名回朝之後，本想投靠西周，但是妲姬早有準備，命人把任無名的家眷請入宮，表面上是邀請相聚，其實是做人質。因此，任無名被迫留在朝歌。紂王為安撫任無名，留為己用，封任無名為一品侍衛統領，負責朝歌的安治，保護妲姬娘娘的安全。」

任天行見古晶提到自己的先祖，便仔細地聽著，不放過任何一字一句。

古晶繼續說道：「朝歌有幾個大臣，早對任無名不滿，只是苦於當時有黃飛虎維護，不敢多言，黃飛虎西投朝歌之後，他們就開始對任無名落井下石，搬弄是非。紂王聽信於他們，幾次想把任無名問罪，都被妲姬給擋了下來。」

「這麼說，妲姬還算是任無名的恩人了？」

「可以這麼說，只是有一次，那些大臣趁著紂王喝醉之時，再次提起任無名之過，紂王大怒，下令拿下任無名問罪。任無名當天被押入天牢。第二天，有一個人單槍匹馬殺進朝歌，從天牢裡把任無名救了出來。這個人雖然勇猛，但還是受了重傷，全身上下受傷一百零八處。他不但救走了任無名，還救走了任無名的家人。」

任天行突然間心血沸騰，這個人居然有如此膽量，單身闖進朝歌救他先祖，不禁緊張地問道：「這人是不是黃飛虎將軍？」

何博士插上了一句，說：「是完顏無忌，完顏將軍！」

「什麼?!」任天行失聲大叫，不敢相信這個人居然是他先祖的仇人。

「紂王失德，最後整個大湯天下盡毀於他的手上，西周漸漸地強大了起來。妲姬被擒後，紂王大怒，親自披掛上陣，與西周決一死戰。兩軍大戰，最後湯軍敗陣，紂王被擒。古書上記載，西周平定天下之後，女媧娘娘讓姜子牙封神。眾神歸位之後，由於紂王作惡多端，女媧賜予了紂王不死之身，罰他在黑暗中度過，不老不死，受盡孤獨。」

任天行聽到後來沒再提到他的先祖，不禁問道：「任無名後來怎樣？」

古晶示意叫他別急，然後翻開了一冊書，遞了給他，說道：「西周平定之後，太平了十餘年，後來黃飛虎將軍找到任無名和完顏無忌，說暴君有意東山再起，讓他們兩人用一切力量阻止他。」

原來，任無名和完顏無忌接到黃飛虎密令之後，黃飛虎把兩把上古兵器賜給了他們，一把叫奪魂刀，一把叫七竅破魂劍，這兩把兵器是姜太公所賜。爲此，姜太公還分別傳授了兩人不同的武功。

兩人領兵之後，帶著士兵去平定紂王。

紂王一身將軍裝，居然企圖搶回江山，兩軍大戰之後，死傷慘重，最後，只剩下了三個人，任無名、完顏無忌和紂王。

任無名和完顏無忌兩人聯手，追殺紂王，紂王不敵，不得不向西逃亡。

古晶說到這，看著任天行，意味深長地說道：「任無名和完顏無忌共事多年，而且兩人是過命交情，試問一下，他們又怎麼會輕易地相互殘殺呢？」

任天行臉色一變，古晶說了這麼多，原來用意在這裡。他已經知道了自己和長風的事情，古晶就是爲了勸說自己不要跟長風決鬥。

「人心隔肚皮！」任天行冷冷地說了一句。

先祖的事情，那是幾千年前的事了，具體事實真相如何，誰會知道？這些資料，只不過是後人記載罷了，說不定有些還是道聽塗說記載的，而奪魂給自己的提示，比什麼都清晰。

古晶歎了一口氣，嚴肅地問了他一句：「你相不相信長風會害你？」

「不信！」任天行幾乎是沒有經過思考，嘴裡應了一聲。

「那你會不會害長風？」

「不可能！」

「這就對了，任無名和完顏無忌當年的情形跟你和長風幾乎一模一樣。」古晶冷靜地說道，「天行，你把你所知道的告訴我，也許還有遺漏的地方。」

任天行轉頭看著古晶和何博士，本想拒絕，但是看到這兩個人將期待的眼光放在自己身上，眼裡佈滿了血絲，一臉憔悴，不禁心軟了下來。

他們兩人如此這般，都是爲了他，自己還有什麼理由拒絕呢？因此，他把自己看到的事情娓娓道來。

事情從頭到尾說了一遍之後，古晶和何博士面面相覷，最後激動地說道：「不對勁，不對勁。」

古晶緊張地說道：「任天行你仔細聽好了，王丫頭是這麼跟我們說的。」他把王丫頭的話一五一十地說了出來。

任無名和完顏無忌兩人應約去會那藏族姑娘的時候，幾乎所有經過都一樣，完顏無忌幾乎是前腳剛剛踏入那個村落，後腳任無名就到了。而且，兩個人都被猴子給偷襲了，都以爲偷襲自己的是殺死村裡人的兇手，因此手不留情，最後都被血濺在了身上。

完顏無忌進去的時候，藏族姑娘就中了毒，要解毒，就要把手臂給砍下來，不讓毒流入心窩。而這個時候，任無名看到的是完顏無忌揮劍砍向藏族小姑娘，看到他一臉血跡，因此向他攻擊。

何博士淡淡地說道：「如果當時是我看到完顏無忌的這個動作，和他身上的那一灘血跡，我也會把他認爲兇手。如果我是完顏無忌，當我在救那藏族姑娘的時候，被人從後面偷襲，轉身一看，一個滿臉血跡的人要置我於死地，我也會把他認定爲兇手，因爲他要殺人滅口。」

古晶冷靜地拍了拍任天行的肩膀，說道：「你現在知道問題在哪了吧？」

任天行沒有說話，他閉上了眼睛，靜靜地思考著，以前孰是孰非，現在還重要嗎？他想到了他父母的死，那是被完顏渡劫給殺死的，臉上不禁沉了下來，冷冷道：「那又如何，這一戰，誰也跑不了。」

古晶和何博士兩人身子不禁顫抖了一下，他們看著任天行，不明白任天行爲何還要這麼堅持，眼裡流出一股失望和痛苦之色。

任天行轉過頭，對著古晶和何博士說道：「現在你們要幫我一個忙，有個人在等著你們去救命。」

看著他們兩人痛苦的表情，任天行不禁心軟下來，最後輕聲說道，「我和長風這一戰，不是我們兩人之戰，是我們兩個家族千百年來的一戰，希望你們能理解，不要插手我們兩人的事情。在鳳凰山山頂右側的一個山洞裡，有個人需要你們幫忙，我希望你們能幫幫她。」

任天行說完之後，祈求地看了古晶和何博士一眼，最後不再說話，轉身離開了這個辦公室，那一剎那，他眼睛裡閃過一絲精光。

當他悄悄地離開了軍區之後，突然看到了一個纖纖身影，在遠遠的地方不停地向他招手。

第 172 章

如果有如果

一聲刀劍碰撞聲後，兩個人靜靜地站在了那裡，一把刀，一把劍，相互插在了對方的心窩處。刀劍穿破胸膛的聲音之後，兩人身子略微抽搐著，鮮血漸漸地淌濕了衣服，漸漸地流了出去。

這個人居然是悅月。

兩人見面了之後，默默地看著對方。悅月低聲問道：「你和長風的一戰，是不是沒有人能阻止？」

任天行點頭回答道：「是！」

「爲什麼？」

「因爲，這不是我跟他的仇恨，這是我們任家千百年來的仇恨，這是兩個家族世世代代的恩仇。」

悅月愕然地看著任天行，沒有再說話，兩個家族世代的恩怨，沒有任何人能解開，這已經超越了當事人的範疇。

悅月的眼裡一陣迷茫，漸漸地流出了一滴眼淚，任天行原本剛毅堅決的表情，在這一滴眼淚中消失得無影無蹤，取代他臉上神色的，是一種手足無措的表情。

兩個人就這麼默默地站著。

太陽，漸漸地從東方升起了，新的一天終於到來了，這一天，是中秋。

任天行看著東方的太陽，突然間有一種衝動。看著悅月，他突然間抱起了她，大聲說道：「走，我帶妳到一個很美的地方看日出！」

軍區最高的崗哨被他撬了下來，他爬上了軍區最高的地方，一個無線電接收台的最頂端處，兩個人迎著風，眼睛看著東起的太陽。

悅月看著任天行的臉，此刻，在他的臉上幾乎找不到任何煩惱，反而多了一份喜悅，但是，越是如此，悅月心裡越沉重。任天行微笑道：「喂，不要苦瓜著臉，過了今天，說不定就不再有這樣的機會！」

但是，悅月根本就高興不起來。她看著任天行，輕輕地質問道：「難道真的沒有方法讓你們停戰嗎？」

任天行哈哈大笑，反問道：「妳認爲有嗎？」

「沒有！」悅月老老實實地回答。

任天行點了點頭，瞭望著遠方，最後輕輕地握住了悅月的手，柔聲說道：「要是每天都能拉著妳的手看日出，那該多好！」

聽到這麼一句甜蜜的話，悅月居然哭了，哽咽道：「你有選擇的，你有選擇的，只要你退出，我每天都陪你看日出！」

悅月看著任天行的臉色，幾乎能體會到他心中的痛，其實，在他心裡，他也不願意跟長風決鬥，因爲長風是他的朋友，是他的知己。可是，這是一種無奈。

悅月心裡明白，任天行肯定不會退出，自己只不過是癡心妄想而已，如果他真的退出，他就不叫任天行。悅月擦了擦眼角的淚水，帶著哭腔問道：「如果上天給你一個選擇，你會做什麼？」

任天行轉過頭來，用手輕輕地抹了一下她臉頰上的淚水，輕聲說道：「如果上天真給我這麼一個機會的話，我希望我不叫任天行。我寧願做一個平凡的人。」

輕輕擦著她的臉，任天行靠近了悅月，把她擁在懷裡。這兩個傑出的年輕人，如今已經拋棄了自身的自恃，原本各自的那種孤傲、矜持，此時此刻已經淡然無存，更多的是來自內心深處的那種毫不做作的微笑。

任天行在她耳邊低聲說了一句：「如果我還能活下去，如果真有那麼一天，我想做一個平凡人，也許我會選擇天天背著一個相機去找新聞，看盡人間百態；也許我會坐在電腦面前，寫點文章，我要起個很有意思，又很白癡又很幼稚的筆名；也許……」任天行突然間停住了，他看到趴在他肩膀上正在埋頭痛哭的悅月，不禁愕然了，自己眼眶裡濕潤了起來。

當任天行走了之後，悅月低聲說道：「天行，原諒我，我不是故意騙你的。」

當長風那偉岸的身影漸漸地出現在月亮下面的時候，王婷婷已經站在了他面前。

「長風！」

「丫頭！」長風一臉莫測，臉上那溫柔的笑容讓人看不透他心裡在想什麼，似乎今晚的決戰跟他無關一樣。他微笑道，「你們不用再說什麼，我已經決定了……」

「我知道我勸不了你！」王婷婷打斷了他的話，目視著他，臉上一股痛苦之色，之後在抽泣著，兩人坐了一會兒，王婷婷最後說道，「我會等你回來！」

月亮又大又圓，掛在鳳凰山山頂上。在背山之處，一老一少在一個墓地旁邊坐著，對著那墳墓徐徐說道：「老伴，妳知不知道，我們的小菡又回來了。」

「今天，會有兩個年輕人，在這山頂上面結束他們的歷代恩怨。他們都很年輕，也都很善良，他們也是我們小菡的恩人。而我，什麼都不能做，只能帶著女兒來這裡陪妳聊天。」

山腳之下，古晶、何博士、周芷慧、江衛華、黃風、大石頭等人靜候在那裡，呆呆地看著山頂。

「月亮升起來了！」

「是，月亮升起來了。」

眾人望著山頂，兩個人影閃入了他們眼裡。

「長風和任天行來了！」

「不對，似乎不是他們！」古晶和黃風異口同聲叫了起來，仔細一看這兩個人的纖纖身影，不禁變色道：「是丫頭和悅月！怎麼回事！」

「走，上去看看！」

是的，山頂之巔，沒有長風和任天行的身影，只有兩個女人。

王婷婷驚訝道：「悅月？怎麼會是妳，任天行呢？」

「天行不會來了，一切恩怨，由我來結束吧。」悅月淡淡地說了一句。

王婷婷臉上閃過一絲驚異之色，自言自語道：「怎麼會這樣，怎麼會這樣！」

悅月淡淡地笑道：「長風呢！」

「我把他支開了……」王婷婷結結巴巴地說道，「我想幫他結束這場恩怨，把他支開了。」王婷婷看著悅月，輕輕說道：「人家都說我是瘋丫頭，沒想到悅月姐今天也跟著我瘋。」

古晶他們一群人到了山頂之後，見到王丫頭和悅月兩人正相對站著，不禁叫道：

「妳們兩丫頭怎麼會在這裡？」

「轟！」

一聲震耳欲聾的聲音從遠處響起，眾人向那聲音的方向看去，遠處閃著一紅一白的影子，兵器相撞的那種乒乓聲漸漸傳來，突然間一道閃電憑空而起，在遠處不斷地閃爍著。

王婷婷和悅月異口同聲地大喊：「任天行！長風！」

兩人相視了一眼，悅月看著王婷婷，顫顫地說道：「妳把長風支哪裡去了？」

「我騙他說，今晚地點不在鳳凰山，在泗水村竹林！」

悅月怪叫了一聲，眼淚奪眶而出，喊道：「天，怎麼會這樣，怎麼會這樣，我也是這麼跟天行說的。」

任誰也算不到，這樣也會弄巧成拙。

悅月在任天行離開的時候，騙了他，說長風約他在竹林那裡見面，如果能回來，她會在鳳凰山山頂等著他。

而王婷婷遇到長風的時候，只想著不讓他出戰，因此也隨口編了這麼一個謊言。

可是，誰知道，她們成功地騙了這兩個男人，卻又起不到一點效果。

這兩個男人還是相遇了，這兩個男人還是開戰了，古晶痛苦地閉上了眼睛，擠出了兩個字：天意！

在一聲炸裂聲中，泗水村的那一片茂密的竹林被開了一個大缺口，眾多竹子在一刀一劍的狂虐下，紛紛而倒，落葉紛飛而下，伴著雷聲、閃電聲、風聲，如龍吟虎嘯的刀聲和劍聲，混著呼嘯的秋風，在月光下顯得蕭蕭落落。

任天行沒有說話，長風也沒有說話，兩人手上拿著各自的武器，遙遙地對立著。

在最後一片竹葉掉落的那一刻，任天行仰天長嘯，金牙在月光中顯得格外的閃亮，他身子上就像披上了一層淡淡的月光，身上那件先祖的戰袍顯得格外威武。

長風迎著他的殺氣，臉上沒有任何表情，一把七竅破魂劍在他手中「嗞嗞」地響，看著任天行向他劈來，手微微一振，喝道：「昊天正氣，日月齊光，劍歸無極，龍嘯九天！」

「嗡」的一聲，七竅破魂劍應聲而起，離開了他的手心，一把幻化成了十把、百把，排成了一個「卍」字，向任天行飛去，凌厲的劍氣帶著濃濃的殺意，把周圍的空氣降到了零點。被這種殺意觸碰到的竹林，啰嚓啰嚓地活活撕裂。

「噹噹噹！」

火花和硝煙頓時冒起，一股炫光在空氣中爆裂開，任天行身子如螺旋一般不停地旋轉，奪魂刀刀影把他身子完全籠罩起來，就像一個保護罩一樣。

飛來的七竅破魂紛紛與刀影相撞，發出「噹噹」的聲音，火花四處亂飛。擋住了這個劍雨，任天行一發力，整個人就像離弦的箭一樣，呼嘯而去。他舉起了手上的刀，刺向長風。

長風身影一閃，整個人輕飄飄的，使上了凌虛步，隨著衝來的氣浪，不斷地浮動著，一來一去，兩人有如蝴蝶一般，你追我趕。

整個天地爲之變色，在這個現代化的世界，有誰相信還會有人用刀劍相搏，還會有人能比松鼠還敏捷、比老虎還勇猛的身手？

兩個人搏鬥著，周圍那一棵棵竹子被刀劍劃出的氣浪割斷，地上的一層層泥土被龍捲風似的氣流翻滾著。

更誇張的是，由於奪魂和七竅兩武器之間的碰撞，居然在他們兩人之間，憑空產生了一道道白色的閃電，劈啪作響。

這兩個男人從動手到現在，沒有說過一句話，他們相視的眼神裡，帶著敬意，帶著微笑，帶著關懷，但是他們手上卻毫不留情。這不是在比武，不是在切磋，他們面帶著微笑，但是卻手不留情，欲殺之而後快。

刀和劍帶起的亮光把一群群的飛蛾吸引了過來，但是在他們兩人的身邊，似乎有一道氣牆，把那些撲來的飛蛾震得紛紛落地。

終於，一隻飛蛾突破了氣牆，飛向了那些亮光，呼嘯的兩聲，一陣刀光閃過，刀尖把這飛蛾的頭切了下來，而另一道劍影在同一時刻也劃過，把飛蛾掉下來的頭劈成了兩半。其他的飛蛾，在突破了氣浪之後，死在了閃電的電流中。

「呀」一聲狂吼響起，「匡噹」一聲刀劍碰撞聲後，兩個人靜靜地站在了那裡，一把刀，一把劍，相互插在了對方的心窩處。

兩人相視而笑，他們的手輕輕一遞，「噗哧」一聲，刀劍穿破胸膛的聲音之後，兩人突然間相互跪了下來，之後身子略微抽搐著，鮮血漸漸地淌濕了衣服，漸漸地流了出去。

第173章

設局

這一切，都是別人下的套。這個局，極有可能從他們先祖時代就開始，一直延續到現在。因此，他們自己也設了一個局，為了使得這個局更完美，兩人分頭找了兩個幫手，楊落雪和魅姬。

秋風蕭蕭地呼喊著，似乎爲地上的這兩個男人悲叫。沙沙的腳步聲在竹林裡響起，一個老人拉著一個小女孩，出現在了現場。

「爺爺，爲什麼任天行和長風他們一定要死呢？」那女孩好奇地問。她看到死人，沒有驚訝，沒有恐懼，彷彿天下間的生死，跟她無關一般。

那位爺爺淡淡說道：「因爲是註定的！這就是命！」

「他們真可憐，王婷婷和悅月都給他們找到了一條退路，沒想到，這條退路，最終還是一條死路。」

「這就是命，註定了的事情，不管怎麼改變，也改變不了最終的結果。」

「我還是不明白，梵天密旨爲什麼一定要用悲劇做結尾？」

「阿不，妳還小，等妳長大了，妳自然會知道。爺爺已經老了，以後密卷就由妳來執掌了。」

「如果輪到我執掌的時候，我可以改梵天密旨裡面的內容嗎？」

「能改！自然能改，妳要創造出讓天人感動的故事，妳的工作才算出色。」

阿不嘟著嘴，不解地問道：「故事精采，但是漏洞百出的話，算不算出色呢？」

「自然不算！」那老爺爺搖了搖頭。

「那爺爺你執掌梵天密旨，也沒有做出色！」

「爲什麼？」

阿不拉著爺爺的手，說道：「他們任家和完顏家，已經結束了他們的故事，但是，這兒似乎還少了一個，紂王，殷壽！」

老爺爺臉色大變，驚叫道：「哎呀，我怎麼把他給忘記了，糟了糟了。」他急急忙忙地從身上掏出了一本竹籤卷子，匆匆忙忙地打開，嘴裡喃喃道，「人老了，記憶力就不好了，糟了，糟了。」

阿不突然間驚愕地看著那兩具屍體，緩緩地躲到了爺爺的背後。

那兩具屍體突然間站了起來，他們復活了。兩雙眼睛冷冷地落在這老爺爺和阿不的身上，任天行用冰涼的語氣說道：「老先生，好久不見了。」

「啊！」這老先生和阿不居然是中醫館的祖孫兩人。

任天行和長風沒有死，似乎出乎他的意料。

長風盯著他手上那卷竹籤，淡淡地說道：「終於把你給引出來了。」他身子一動，閃了一下，那老中醫手上的竹籤就到了他的手上。

老中醫臉色大變，失聲喊道：「別，別動！那東西不是你能拿的。」

「天人是誰？」任天行和長風兩個人的眼光緊緊地逼著他，讓他絲毫不能動彈。阿不突然間從背後取出了一把長簫，吹了起來，任天行感覺到不對，跨步走了上去，叫道：「拿來！」

可是阿不的身影非常快，比任天行還快，眨眼間已經跑到任天行的後面。長風正看著老中醫，只覺得眼睛一晃動，手中就輕輕的了，之後一股風才微微傳來，那老中醫在長風失神的一剎那，搶回了那個竹籤。

「嗚！嗚！……」奇怪的呼叫聲傳來。遠遠之外，一個紅影一跳一跳的，往任天行他們奔了過來，速度非常快。

「小殭屍?!」任天行淡淡地說了一句。

阿不對著任天行哼了一聲，對那小殭屍說：「小不點，這人欺負我，怎麼辦？」

「嗚嗚！嗚嗚！」小殭屍一臉紅色茸毛，猛地點了點頭，兩眼發出一股如火焰一樣紅色的光，嘴角兩顆牙齒漸漸地冒了出來。

它朝任天行咧嘴之後，噗的一下，兩手直楞楞地插向任天行。任天行嘴角冷地一哼，就連五彩斑斕屍也滅在他的奪魂之下，見到小殭屍不識好歹，不禁冷笑了一下。他沒有用奪魂，反而握緊拳頭，對著那小殭屍猛地就是一拳。

小殭屍的小手沒有插到任天行身上，任天行的拳頭已經抵住了這個紅毛小殭屍的胸膛，噗哧一聲，小殭屍身子被打得往後飛，但是飛退的時候，兩手改為爪，抓在任天行的手臂上。「哧哧」幾聲，把任天行的衣袖給扯下了一大片。

長風一眼不眨地盯著這個老中醫，這傢伙太神秘了，他到底是什麼人？看著他緊張地看著那竹籤，長風明白了過來，只要把那竹籤拿到手，一切謎底都解開了。

長風的念力逐漸地提高，暗自捏了一個手印，眼睛一動，腳踏凌虛步，兩眼盯在那竹籤上，盡自己的能力使出了最快的身法。

老中醫早做好了準備，微微一動，整個身子就像影子一樣，隨著空氣中的氣流飄動，這一招比凌虛步要高明很多，讓長風大吃一驚。

「勒！」長風手指一彈，一股指風從手指上射了出來，這一下長風只用了三成的功力，意在困敵，而沒帶有任何殺意。

老中醫嘴裡哼了一聲，從口袋裡掏出一個戒指，急忙戴在手上，對著長風一掃，把長風彈來的那一股指風給收到戒指裡面。

「阿不，走！」老中醫對著他孫女叫了一聲，戒指對著長風一照，一股炎熱的風從戒指裡面轟然而出，周圍就像被大火燃燒似的，變得酷熱無比。

長風沒想到這老中醫手上那枚戒指這麼厲害，一時大意，被這團熱氣包圍住，頓時胸悶無比。他揮動了七竅破魂劍，捏了一個印訣在劍上，用劍一揮，隨著劍風，一股冰冷的空氣隨之而來，立即越到了這空氣中。

「天行，別讓他們跑了！」長風揮舞著長劍，看到老中醫已經拉住了阿不的手，暗叫不好，用力一揮，一股劍風劈向了他們祖孫倆。

任天行也沒想到，這個小紅殭屍這麼厲害，自己使盡全力只能跟它打個平手，驚異地叫了一聲：「看我的奪魂！」

奪魂刀在他的手裡反映著，發出「嗞嗞」的聲音，那小殭屍聽到這聲音之後，身子顫抖了一下，似乎很畏懼這把刀，連連退了幾步。

任天行揮刀喝道：「不跟你玩了！」刀光隨著他的喊聲，劈向了紅毛小殭屍。

那小殭屍「嗚嗚」地叫了一聲之後，突然間陰氣大增，仰天吼叫了一聲，額頭上一個如眼睛一般的疤痕漸漸裂開了，一股紅色的光線從裡面噴了出來，打在那奪魂刀上，「噹」的一聲，任天行被這一股力量震退了好幾步，兩肩發麻。

「好厲害！」任天行嘴裡冒出了一句。

那紅毛小殭屍得意地「嗚嗚」叫了幾聲。

「無名無相，不虛不實！賜！」長風長劍回鞘，嘴裡喃喃著咒法，捏了一個印訣，朝那老中醫一甩。

可是那中醫和阿不實在太快了，只是一個光影一閃，人就不見了。

居然讓他們跑了，長風咒罵了一聲。罵聲剛落，長風只覺得空氣膨脹得很快，心裡奇怪地警惕著四周，果然，在自己前面，一道光影閃出，老中醫和阿不從裡面閃了出來。任天行眼明手快，沒等他們反應過來，已經把竹籤搶到了手上。

這次，長風可是緊緊地抓住了這竹籤，說道：「老先生，我手軟，你別逼我，說不定哢嚓一下，就沒了。」

老中醫和阿不愕然，不敢相信自己怎麼會回到原地。

兩個白色衣服的女人從林子裡走了出來，一個神色淡淡，冷漠地說：「怎麼樣，我們這一手漂亮吧！」

另一個女人媚笑道：「還想從我魅姬的眼前逃走嗎？」她轉頭看到任天行，叫了一聲，「原來是開了天眼的紅毛小殭屍，怪不得它底氣這麼十足，任天行，把這小不點交給我！你去辦你的事情！」

任天行應了一聲，讓魅姬接過這小紅殭屍，走到了這祖孫兩人的後面。

這老中醫一臉冷漠，說道：「好啊，原來你們是在做戲！不怕遭天譴嗎？」

任天行哈哈大笑：「不要再拿鬼話騙人了，你以爲天下間還有人聽你的嗎？」

阿不疑惑地看著她爺爺，又看看了任天行和長風，奇怪地說：「你們不是死了嗎？怎麼會活了過來？」

任天行微笑道：「死是死了，不過是假死，不這樣，怎麼能把你們引出來？」

老中醫沉沉地說道：「冥冥中自有天意，你們怎麼能看透其中的玄機？」

「天意確實神秘，可惜的是，你沒有體會到古人的一句話：百密一疏！」任天行看著這老中醫，淡淡道，「多虧了這把奪魂，還有長風的七竅，才能讓我們知道，從始至終，都是一個局，一個陰謀。」

任天行是一個非常聰明的人，幾乎繼承了他的先祖任無名的那種聰穎，再加上他這二十多年的軍事訓練，早就嗅到了一股陰謀。

在他請古晶去救殷小菡的那天晚上，古晶把王婷婷知道的事情跟他說了一下之後，他的第一個反應就是，先祖和完顏無忌被人嫁禍。但是，他沒有表現出來，因爲他要引這個人出來。

他確定沒有人跟蹤之後，來到了破天，跟高老大偷偷地通了電話。

他沒有告訴高老大自己的目的，只是把手上的那把奪魂給了高老大，讓他們仔細檢測了一下這把刀。

出乎意外的是，這把刀裡面居然藏著巨大的秘密。先是這把刀的成分，裡面含有一種礦物質，這種礦物質跟「鉻」很相似，但是卻比這個鉻少了一個負離子。

這點誤差，如果在平常工業上的時候，是完全可以省略掉，但是這裡是破天，而且，這個「鉻」元素讓破天的工作人員非常敏感，在他們的多次檢測下，得出了一個結果：少一個負離子的鉻變成了另一種新的元素，這種元素，在當今的科技中，還未曾被發現。

破天甚至還拿出了一些機密的資料，那是美國在登陸月球的時候，從上面帶回來的一塊拳頭大的石頭。工作人員向任天行解釋說，那塊石頭是從月球上帶回來的，美國太空總署幾十年來最輝煌的成果，就是提取了那塊石頭裡面最神秘的一粒金屬，那粒金屬，重千分之一毫克。

那粒金屬，比號稱地球上最硬的物質鑽石還要硬上百倍，因爲那粒金屬裡面含有一種元素，就是少了一個負離子的「鉻」！

讓他們驚訝的是，任天行手上的那把刀，整整一把，重三公斤，都是這樣的物質。那個時候起，任天行就發現了不對的地方。

隨後，在破天的實驗室裡面，破天研究人員當場做了實驗，用一塊重三千公斤的鐵塊從十米高的地方落下，砸在奪魂刀的刀身上，然後用電腦儀器分析，那刀身一點痕跡都沒有。在超高倍的顯微鏡下面，工作人員看到了一串奇怪的文字，那文字就在劍柄旁邊。他們認不出那些文字是什麼，但是任天行卻知道，那是一串符咒，一串神秘的符咒。

他毫不理會破天那些人的驚叫和愕然，扛著這把刀，偷偷地找到了長風，兩人密談了一個小時。

兩個人再次回到了破天，破天又用同樣的方法檢測七竅破魂劍，這把劍的元素跟任天行的不一樣，裡面的成分是多了一個負離子的「鉻」元素。而上面的那些咒文，跟任天行的一模一樣。

因此，他們有了覺醒，這一切，都是別人下的套。有人設了這個局，這個局，極有可能從他們先祖時代就開始，一直延續到現在。

但是，這樣的假設太荒唐了，他們無法確定。因此，他們自己也設了一個局，看看是否是真有這麼一回事。

任天行爲了使得這個局更完美，和長風兩人分頭找了兩個幫手，這兩個幫手就是楊落雪和魅姬。

楊落雪當年被妲姬派出的人追殺，最後兩個神秘人出手相救，這兩個人就是任無名和完顏無忌，後來，完顏無忌爲了讓她能利用雪魔修行，因此把上古寶物放在了楊落雪的肉身裡，怕楊落雪入魔，又用如來般若咒把楊落雪禁錮了起來，目的就是爲了讓她安心修行。

所以，長風去找他幫忙，她沒有理由不幫。

任無名當年放過魅姬，並把她禁錮到木牌裡，沒想到這一下倒是成全了魅姬，讓她修成了散仙。任天行恰恰又把她給喚醒了，因此，任天行找到她的時候，她也是一口答應了下來。

楊落雪冷冷對老中醫說道：「老頭，你沒想到吧，你的時空挪移術被我們看破，把你又帶了回來。」

老中醫一臉鐵青，但是絲毫沒有懼意。阿不湊著小臉，東看看，西看看，根本不擔心後面會發生什麼事情。

第 174 章

天人

梵天密旨，就像是一個巨大的資料庫一樣，裡面幾乎收藏了人類有史以來各種重大事件，這就像一本天書一樣，只要裡面輕微地改動一個字，就會影響一個人甚至是一個朝代的變化。

「梵天密旨?!這是什麼東西?」長風把那竹籤給展開，看到竹籤開口處刻著四個字，好奇地念了出來。

老中醫聽到這四個字，喉結動了一下，之後淡淡說道:「一本古醫書而已!」

「古書?嗯，我倒是要看看!」長風慢慢把這書展開，上面寫著各種奇怪的符號，森羅萬象，根本看不懂，就像是電腦的亂碼一樣，讓長風看得一頭霧水。

任天行湊了過來，看了一眼，也感到不解。

如果他們倆不是裝死才聽到他們祖孫兩人的對話，一定不會相信這是一本什麼神秘的東西，但是，他們對話裡面幾次提到這本書，而且，梵天密旨下一個執掌人，就是那個阿不。

任天行和長風兩人相視了一眼，正在感到奇怪，突然間楊落雪大叫了一聲:「回來!」兩條白色綢帶從老中醫身上斷開，這一點，讓長風和任天行提高了警覺。

長風收好了手上的竹籤，老中醫以為長風要把它給毀了，急忙叫道:「不能毀了它!住手!」

「天人是誰?這個密旨又是什麼意思?」長風注視著這老中醫，冷冷地問了一句。可是，老中醫卻閉口不答。

魅姬嬌斥了一聲之後，一條綢帶緊緊地綁住了那個小殭屍，小殭屍周圍被一層藍光給籠罩著，第三個眼睛給綢帶封了起來。

魅姬拍了拍手之後，頑皮地在這小殭屍額頭上敲了一下，嬌罵道：「小不點，居然敢跟我鬥，我這捆仙陣滋味好受吧？」

其他人不知道這捆仙陣的厲害，但是長風卻是心有戚戚焉。這個陣有個特點，越是掙扎，這個陣就會越厲害。

阿不看到小殭屍被捆住，痛惜地叫了一聲，呆呆地看著長風，嘶嘴叫道：「把我小不點還我！」

長風笑道：「妳告訴叔叔，這梵天密旨是什麼，我就把小不點還妳！」

「我不知道！哼！」阿不生氣地對他翻了白眼，雙手抱胸，在那裡嘶嘴。

任天行仔細地觀察了這老中醫，心裡奇怪道：這東西對這老先生這麼重要，爲什麼他臉上沒有一絲擔憂呢？難道他是裝出來的？我試試他！

「長風，把這東西給我看看！」任天行給長風使了個眼色，接過了那東西，翻了幾下，沒看出什麼東西，臉上冷漠道，「看來白忙了一場，什麼都沒有。」說罷，他一生氣，舉起手一掌向那東西打去。

老中醫臉色大變，大聲吼道：「你敢！」

任天行微微一笑，沒打下去，把這東西給回長風之後，突然間撲向老中醫。那老中醫都沒想料到任天行會撲向他，躲是躲不開了，急忙舉起手擋住。

「噗哧！」

一道黃色的光芒從戒指裡面射了出來，打在任天行的胸前。

任天行吃痛，號叫了一聲之後，兩手抓住了這老頭的右手，用力一捏，哢嚓哢嚓的骨頭聲音，讓這老頭大聲吃痛。

長風驚愕地看著這老頭，嘴裡不可思議地叫道：「三清靈力?!」眼睛注視在那戒指上，一臉疑惑，沒見這老頭念什麼咒語，怎麼就能使出「三清靈力」呢？

任天行並沒有爲難他，只是把他手上的戒指拆了下來，好奇地看了看這戒指，然後遞給長風。他掀開自己的衣服看了一下胸膛，被那股黃色的光芒打中的地方，皮膚居然焦了一大片。

這是一個很奇怪的戒指，非常的輕，摸著它的外表，既不是金屬，也不是塑膠，有一種溫玉的暖和和冰塊的滑溜。

長風把這戒指戴在手上之後，突然間覺得眼睛好舒服，睜眼一看，任天行手上的那把奪魂上面的那些字元，居然能看得清清楚楚，而捧在手裡的那卷梵天密旨上的奇怪符號，居然組成了一個個字元，每一個字元都在動。長風睜大了眼睛，似乎不敢相信這一切，等他把自己思緒漸漸控制住的時候，看到了這本密卷上面的一個藍圖，沿著藍圖上面的那些曲線一直往下看，幾乎每一個字元裡面都可以看到裡面所蘊藏的東西。

老中醫被搶了戒指之後，愣在了那裡，驚得合不上嘴，阿不拉著他的袖子不停地拽著他，可是他一動沒動。

過了良久，他忽然間高興地笑起來，抱著阿不說道：「我做到了，我做到了。我的工作是最出色的。」

阿不不解地看著老中醫，臉上充滿了疑惑。不只是他，在場的所有人都不明白這老頭子是什麼意思。

長風臉上不停地閃過複雜、怪異的神色，忽而喜色又皺上眉頭，忽而眼裡充滿了迷茫，忽而臉上帶著不屑，一轉眼，又帶有一絲絲的感動。

這些表情，在任天行他們眼裡只是一瞬間的工夫，可是長風看著這卷子上的那些奇怪文字，就猶如過了好幾千年一般。

他把那卷子遞給了任天行，把戒指也給了他，靜靜地看著老中醫，冷笑道：「你覺得很好笑嗎？你覺得很自豪嗎？」

這一句話讓老中醫和阿不愣了一下。老中醫目視著長風說道：「你看到裡面的東西了吧，難道你不承認我的工作是最出色的嗎？」

「是，你的工作很出色，但是你的人品極為骯髒！你們這些人，為了自己的工作，把我們所有的人都玩弄於手掌之中，以此取樂。你覺得你自己很出色，但是在我看來，你就像一個屠夫，因為你的一時之念，讓多少人含冤而死！造就了多少冤案！你讓多少人死不瞑目！」長風痛斥著這老中醫，因為他看了那密旨之後，終於知道什麼叫梵天密旨了，終於知道他要阿不執掌這個密旨的原因了。

「你是魔鬼，你是魔鬼，你比那些殭屍還骯髒，你為了達到自己的目的，居然害得讓這麼多人死，三千多子弟兵慘死，你連眼都不眨一下。」

任天行看完了之後，牙齒打顫，恨恨看著老中醫，把戒指和竹卷遞給了楊落雪，再遞給了魅姬，之後，四個人面面相覷。任天行一怒，把那梵天密旨給用力一揉，那竹卷閃出了火花之後，被揉成了粉末。

老中醫和阿不失聲大叫：「不要！」

可是看著那竹卷被毀，兩人眼裡閃出絕望之色，嘴裡喃喃道：「不要，不要！」

任天行冷笑道：「原來的天意、命中註定，是像你這種類型的人註定的。原來，這一切都是你們操縱的，這就是你們想要的嗎？」

「哈哈哈！你們把所有人都當成你們的玩偶，供你們欣賞，可是，你們沒想到吧，你們眼裡的這些玩偶，已經開始失控了。你們之所以要這樣做，是因爲你們已經對自己沒有信心了。」

梵天密旨，就像是一個巨大的資料庫一樣，裡面幾乎收藏了人類有史以來各種重大事件，在那個神秘戒指的輔助下，密旨裡面的所有文字，講述著每個朝代的每件大事。而密旨裡面卻有執掌著這個密旨的人的許可權，這個人能透過密旨修改密旨，安排指定的人不同的命運。

這就像一本天書一樣，只要裡面輕微地改動一個字，就會影響一個人甚至是一個朝代的變化。

任天行和長風不禁聯想到了民間神話的一個傳說：閻羅王手上的生死簿上面記載著任何一人的陰壽和陽壽，還有這個人生平的一些事件，以及安排輪迴，讓這個人下輩子要去哪裡。

任天行看著這老中醫，把他和閻羅王聯繫了起來，不禁懷疑道：難道閻羅王也跟這個老中醫一樣，是執掌密旨的其中一人，而那個生死簿其實就是密旨。

完顏長風，任天行，楊落雪，魅姬，四個人靜靜地站著，沒有一個說話。

老中醫看著他們的神色，急忙拉著阿不，匆匆地逃走了，阿不用她手上的那個小戒指，把天眼小紅僵給從捆仙陣裡救了出來，兩人一屍漸漸走遠。

長風打破了寧靜，徐徐說道：「原來，這所有的一切，都是這老傢伙安排的。先祖完顏無忌和任無名的恩仇，也是他所設計的，甚至連妳們、紂王、妲姬，都是他們一手策劃的。」

沒有人能想到，這麼多人的恩怨居然出自一個人的手。

任天行冷笑了一下，說道：「梵天密旨被我們毀了，他們以後再也控制不了我們任何一個人！天人，所謂的天人，也不過如此。」

任天行扛起了他的奪魂刀，沒有向眾人道別，就這麼離開了。

長風喊道：「你要去哪兒？」

「我要把殷壽給找出來，密旨雖然被毀了，但是他卻留不得，不然他本身就是一個密旨，只要他還在人世，就會有人受害。」聲音越傳越遠。

魅姬忽然間轉身離去，追趕著任天行，後面的楊落雪叫道：「魅姬，難道妳還執迷不悟，去護著那個紂王嗎？」

「楊姐姐，我試著去勸勸壽哥，希望他收手！或許任天行會放過他一命。」

看著魅姬遠去，楊落雪搖了搖頭，輕聲道：「傻丫頭，傻丫頭，到現在還不明白，殷壽一直的夢想就是要重見天日，單憑妳一個人，又怎麼能讓他回心轉意呢？」

長風捏著手上的那個戒指，突然間哈哈大笑，他笑道：「這就是道，這就是道！原來，都在這裡面。」

長風在看到那個密旨之後，不禁感慨了一下，原來有很多傳說是真的。但是，這些真實的事蹟，往往因爲人們的認識不夠深，被神化了。

當任天行跟悅月再次相擁在一起看日出的時候，已經是三個月後的事情了。悅月聽著任天行把在梵天密旨裡面看到的事情說了一遍之後，她做了一個大膽的推測。

地球就是一個實驗室，一個「天人」創造的實驗室。

第 175 章

力量源泉

法術其實並不神秘，如果我們有足夠的條件，也能把法術解剖開。法術其實就是一個命令，整個地球的空間裡面充滿了各種力量，這些法術就是操縱著這些力量的命令。

任天行哈哈大笑，說道：「那麼，天人，是不是外星人？」

「不是，他們也是人，而且應該是地球人！或者說是史前文明的倖存者。」悅月莞爾一笑，說道，「根據你看到的這些東西，我可以大膽地做這樣一個假設。」

悅月細細地作了她的分析。

史前文明是存在的，一次冰川時代的來臨，把地球上所有的生物都毀了，那個時候，科技非常發達，但是他們仍然擋不住大自然的力量。因此，只有少得可憐的一小部分有能力逃到了太空。

他們在太空遨遊，去尋找新的星球。

過了很多年，他們太想念地球了，一部分人回到了地球旅遊，可是，他們來到地球之後，發現地球居然變成了一個生機勃勃，可以居住的地方。

任天行插上了一句話：「既然這樣，他們爲什麼不回來呢？」

悅月想道：「他們有可能回不來，有可能已經回來了，但是他們適應不了，人一旦適應了一個地方的生存條件，到另一個地方，也許就生存不了。」

「哦，繼續妳的大論！」

他們看到蠻荒時代的人類，覺得實在太幼稚了，所以，他們利用一批人來開導這些蠻人，讓這些蠻人開智。這批被他們選中的人，稱他們爲「天人」。

而這一批蠻人被「天人」開導了之後，散播到了世界各地，去完成他們的使命，後來人稱這一批人爲神。

但是，這些神看到人性多變，紛爭不止，所以想到了一個方法，用宗教來引導人們向善，讓他們有個精神寄託，以此來完成他們的使命。

任天行嬉笑道：「《聖經．創世紀》中明確記載了大洪水的起因、過程和結果，還詳細說明了諾亞方舟的製作方法及最終停靠的地點和時間。這些，難道也是史前文明的倖存者的傑作？」

悅月瞪大了雙目，問道：「你不信？你還記得不記得西安的那把槍？」

「記得！」

「那把槍能在兵馬俑裡出現，唯一的結論就是，在某一個時間段裡，兩個時空發生了交錯，因此，才會有這樣的事情。」

「這點我同意，但是這跟梵天密旨裡有什麼關係呢？」

悅月嬌嗔了一下，說道：「如果時空再交錯一次，把你帶回了原始人時代，你用身上的打火機，把火點燃了，然後教一幫人怎麼用火，教他們吃熟食，你又有一把手槍，有人侵犯你的時候，你遠遠地給他一槍，把那人打死，你說，你的這種能力，在那些原始人眼裡，是不是神？」

任天行沒想到悅月用了這麼一個比喻，他微微地點了點頭。

「還有，兵馬俑一號坑、二號坑，發現的十九把青銅劍和越王勾踐劍，年代在兩千多年前，你認爲那個時候的科技能鑄造出這樣水平的劍？」

悅月說的那些青銅劍，是一九九四年三月秦始皇兵馬俑二號俑出土的，長度爲八十六釐米，劍身上共有八個稜面。

用游標卡尺測量，發現這八個稜面的誤差不足一根頭髮絲，已經出土的十九把青銅劍，劍劍如此。

這批青銅劍內部組織緻密，劍身光亮平滑，刃部磨紋細膩，紋理來去無交錯，它們在黃土下沉睡了二千多年，出土時仍光亮如新，鋒利無比。

劍的表面有一層十微米厚的鉻鹽化合物，這種鉻鹽氧化處理方法，這是近代才出現的先進工藝，德國在一九三七年、美國在一九五〇年先後發明並申請了專利，中國在一九九六年才掌握這種工藝。

這一點任天行深有體會，所以當悅月提出史前文明這個概念，再聯繫到這些事件，他不禁愣在那裡，絲毫沒有反駁悅月的理由。

他反問道：「那妳認爲，這些青銅劍，是怎麼製造的？難道是那些史前文明的人親自指點的？」

悅月搖了搖頭，說道：「或許是史前文明留下來的產物，冰川時代過後，把一切都埋葬了，經過地殼變化，使上一個文明的東西暴露了出來。又或許，是那些倖存者看到生活在地球上的人們太愚昧，所以用了一種方式教會了他們。可惜，當時是戰爭年代，這種技術在戰爭的煙火中失傳了。」

悅月繼續說了她的推測。

他們的科技一定很發達，他們幾乎掌握了地球上所有資源的資訊。因此，爲了降服一下不聽使喚的人，他們把控制力量的方法告訴那一批人，讓那一批人去使用，這種控制力量的方法，後來被稱爲「法術」。

「嗯，很有道理！」

「法術其實並不神秘，如果我們有足夠的條件，我們也能把法術解剖開。我估計，法術其實就是一個命令，整個地球的空間裡面充滿了各種力量，這些法術就是操縱著這些力量的命令。」

任天行瞪大了眼睛看著悅月，驚訝道：「妳這話很熟悉，又是符號又是命令的，好像這就是電腦一樣。」

悅月沉默了一下，說道：「如果說，整個銀河系的三維空間裡，被這些天人用一台超級電腦操控著，這也未嘗不能說得通。說不定，那些法術就是這台電腦的一些操作命令。」

「妳別忘了，那個老頭手上的那個戒指。」

任天行眼睛一亮，他親自體會了那個戒指的魅力。

那戒指裡射出一股黃色的光，打在了自己的身上，長風說那道光是道家的「三清靈力」！長風後來在任天行的身上做了這個實驗。用朱砂在黃符上寫了一個咒文，然後把咒文打出的時候，產生的力量跟戒指上發出的力量一樣。

戴上那個戒指，梵天密旨上的那些類似亂碼一樣的符號居然暗藏玄機。那梵天密旨上的內容，還可以按照自己的意願去修改。

如果照悅月這麼推算，那麼，那梵天密旨難道就是史前文明的人製造出來的微型電腦？他們能夠利用這個電腦來控制地球？

悅月看著瞪大眼睛的任天行，笑著說道：「其實，這個只是可能性的一種而已，

SUPER組織裡面有一個實驗可以解釋這些。我們的生活空間充滿了各種各樣的的力量，所謂的法術、道術就是人利用精神念力，破壞空間裡的力量平衡。」

「這麼說，人的精神念力很強了？」

「那當然，有實驗證明，一個普通人的人腦，只開發了三%不到，愛因斯坦被譽爲世界上最聰明的人，他的腦袋只開發了不到五%。如果一個人的腦力能開發到更多，你能想像有什麼後果嗎？可以這麼說，人的身體藏有著巨大的潛力，而精神念力是最神秘、最典型的。」

「還有你自己，深有體會了吧！」悅月用手指點著他的胸膛，說道，「你知不知道，人家說你現在是一個怪物。但是在我眼裡，你跟常人一樣，不一樣的是，你的身體裡面的一些菌體把你身體潛能開發出來更多，因此你就變成了這樣。」

悅月對自己的推測很有信心，因爲她參與過對百慕達的研究，SUPER組織做過這樣一個結論，地球的自轉、公轉和月球帶起的引力，讓三維空間裡面充滿了各種各樣的力量，這些力量是絕對平衡。

比如，地球的磁場，有正必定有負，兩者相互牽制，才能達到平衡。一旦某種力量失去了平衡，就會出現各種離奇的現象。

人的精神念力非常強大，強大到能破壞這樣的平衡。比如龍牙的謝坤，可以透過眼睛，用自己的意念把物體舉起來，這種能力被人稱爲特異功能。其實，這只不過是一種破壞力量的平衡而使得物體發生反應而已。

「妳說，如果人腦真能開發百分之百，那會有什麼效果？」

悅月搖了搖頭，說道：「很可怕！人死了之後，會有靈魂，也就是鬼，它們會到處遊蕩，但是又怕陽光，你知道爲什麼？」

任天行笑道：「我聽長風說，靈魂是一種精神意念，按照妳剛剛的說法，那也就是說，人死了之後，意識還會存在。如果這樣的意識過強，就能破壞這空間裡的力量，從而達到靈魂的目的，比如說鬼上身，其實是死去的人的精神意念暫時佔據了人的腦袋。而這種精神意念怕光線，是因爲光線裡面有能讓這種意念分解的力量，我這樣理解，對不對？」

「孺子可教！就差一點。」悅月點了點頭，說道，「其實，靈魂也是很多種力量結合起來的，一旦某種力量通過某種方程式結合了之後，就會產生新的東西，比如，磁場感應能影響人和人體磁場。某些人生下來就能看到鬼魂，就是因爲他的腦部感應要比平常人要高，或者說，他腦部能很容易接受這類型的感應。那些咒文和手印正好是利用破壞力量的平衡來得到力量，來制止這些所謂的鬼魂。」

「除此之外，人的精神念力，還具有非常神秘的預知能力。人透過夢境、幻覺、直覺等方式對未來事件的資訊預先感知，這也是一種精神念力的作用。」

SUPER組織還做了這方面的資料收集。

一八六五年四月一日，林肯預感到自己要死了，他把這件事告訴了太太，第二天又講給親近的人聽，大家都十分不安。

誰也沒想到，過了一天後，林肯的預感變成了現實，他在一家劇院的包廂中看戲時真的遭到槍殺……

鐵達尼號起航前一周，倫敦實業家喬里．奧昆納做了一個夢，夢見鐵達尼號出事，因此第二天放棄鐵達尼號的首航船票。當鐵達尼號從南安普敦港出發駛往紐約城，開船五天後在大西洋的紐芬蘭島海面因大霧迷失了方向，最後撞在冰山上，一千五百一十三人葬身大海……

如果說這些還算巧合，那麼，下面一個例子，就說不上是巧合了。

一個剛剛因爲出車禍和做完腦部手術的人，出院的那天晚上，夢到醫院裡的電梯出事，整個電梯裡十一個人全部摔成了肉醬。

在他出院的那天，要搭電梯，正好那電梯裡面有十一個人，他想到了那個夢，最後沒有上去。

電梯下去不到十秒鐘，一聲巨響，那電梯真的失事了。

悅月把SUPER組織的這些資料給任天行看的時候，讓任天行驚訝不已，不得不承認悅月的推測。

長風後來還給她做了補充。他說，人的精神念力是可以修煉的，比如和尚、道士、居士等，這些人經過一些修煉的方法和修煉的條件，練出的結果強弱不一，用符咒、手印開啓力量之後，產生的效果也不一樣。普通人就算會寫符咒，會捏手印，也沒有效果，是因爲他們的精神念力不夠。

原來，這一切的一切，都是源自力量！

力量，充斥在三維空間的每一個角落。

至於對悅月所推測的「史前文明」，他沒有否認，也沒有承認。

長風後來陸續得到了老劉和王博士的一些關於其他同行的資訊，這些資訊經過破天組織傳給了長風。

一九三六年六月，鐵路建築工人在巴格達附近偶然挖開一座有兩千年歷史的古墓之後發現了一件神秘的物品，這個內裝奇特物質——一根一頭封閉的銅管、一根鐵棒和一些瀝青碎屑的卵形陶罐。

倫敦科學博物館的物理學家沃爾特・溫頓對這個東西做了研究，說這件物品是電池。兩千年前，是誰發明了電池？用來做什麼？

在美國奧克拉荷馬州竟然發現了一個懷疑是外星人的頭蓋骨。當時，出土了一個一億一千萬年前的大型長頸龍的化石，據推斷這只長頸龍有十八米高。但更令人吃驚的是，在它的腹部竟然發現了一個神秘的頭蓋骨。這個證據表明什麼？難道在長頸龍興旺的時代就有人類生存？

還有，在中美洲洪都拉斯瑪雅神廟中發現的水晶頭顱……

第176章

活祭

「活祭」計劃不只是在 F 縣，在世界各地都有殷壽精心安設的研究基地。可是，他想到自己卻是別人的祭品，仰天狂吼之後，頭居然爆裂開了，他被自己的意念給氣炸了。

「你怎麼知道，那個代號叫『獵人』的，是殷小菡？」

「那要從整個『活祭』計劃說起。殷壽被長風的先祖和我的先祖追殺了之後，逃到了西方，在那裡躲著不敢進入中原，後來，他為了生存，吸了西方人的血。他雖然不會老，不會死，但是見不得陽光，這是他唯一的心病。所以，他在很久很久以前，就進行這個計劃。」

「活祭」計劃，原來是殷壽用人體來做他的小白鼠，想研究出一種抗體，一種能讓他在陽光下行走的抗體。

他利用自己的手段，在西方建立了自己的資源，就是為了做這些。他在西方，成功地研製了能在陽光下走，不怕陽光的五行人。但是，那些五行人是一批失敗品，因為它們沒有思想。

最後，他不得不放棄在西方的實驗，認為可能是外國人的基因跟自己的不同，所以十多年前，策劃了湘西的這一齣戲。

而在湘西，他需要一個能替他發號施令的人，自己就不需要親自出面。這個人在幕後聽著自己的指揮而操縱其他人。

殷小菡就是最好的人選，他逼殷小菡練魅影，就是為了讓殷小菡給自己做事的時候不留痕跡。在F縣裡，九菊、萊恩、梅森等機構，紛紛被殷小菡暗中操控著，就連指揮殷達明做神秘事情，都是殷小菡暗中施令。

誰知倉庫一號、倉庫二號的研製即將成功的時候，被任天行他們攪了局，廢了他多年來的心血。

任天行長歎了一聲道：「想不到這個『活祭』計劃不只是在F縣，在世界各地都有殷壽精心安設的研究基地。」

「可是，他也沒想到，他的願望是想讓自己在陽光下生活，讓那些犧牲品成爲了自己的祭品，自己卻是別人的祭品！」

悅月強調了一句：「甚至是玩物！也難怪，殷壽後來會變成那樣。」

任天行不禁苦笑，對於殷壽做的那件事，只能說讓他感到震撼。

當他找到殷壽的時候，殷壽已經在等著他了，這個被女媧遺棄了的男人，這個殭屍之祖，靜靜地看著他。

面對著幾千年前自己仇人的後人，面對著奪魂刀，他心裡感慨萬分，但是他眼裡的那一抹殺氣，已經漸漸地散發了出來。

任天行對著殷壽，簡簡單單地把那梵天密旨給說了一遍，他只是想刺激一下殷壽，好找到下手的機會。

但是他沒想到，殷壽知道幾千年來一直是人家的玩偶，自己做了這麼多的事情，是爲了讓那些所謂的「天人」娛樂，自己的這些恩怨，大湯天下的覆滅和自己的遭遇是那些人故意安排的結果，他發瘋了。

他接受不了的是，自己的所有一切就像是電影裡面的情節，而那些「天人」就像是觀眾一樣，在看著電影。這個號稱不死之身的殭屍，仰天狂吼之後，他的頭居然爆裂開了，他被自己的意念給氣炸了。

那一天，又大又圓的月亮，萬里無雲的天空，在那一刻，天狗食月，滿天雷鳴。這殭屍之祖，史上最殘暴的暴君，這個活了幾千年的殭屍，就這麼消逝了。

「魅姬和楊落雪最後怎麼樣了？」

「她們兩人據說要去這花花世界體驗一下人生樂趣。」

「她們倒是想得開！」

「魅姬說，就算她們是在演戲，也要演一場精采的戲，讓自己開心。」

「長風呢？」

「他在破天，他要把這些事情給弄淸楚，這傢伙太瘋狂了，竟想通過自己的力量去跟那些『天人』接觸。」

「怪不得他把你的奪魂給拿走。」悅月抬著頭看著任天行，說道，「你說，這奪魂和七竅的材質這麼堅硬，會不會跟那些史前文明的人的飛行設備的材料一樣？」

任天行沉默了一下，說道：「也許吧，或許會有讓我們想也想不到的東西。地球上，還有多少奧秘……」

悅月拉著任天行的手，開懷地笑道：「走吧，太陽升起來了，又是新的一天，我們不要杞人憂天了，這些秘密，交給長風和王婷婷他們吧！」

「妳呢，還回美國嗎？」

「讓美國見鬼去吧，我只想待在你身邊一起看日出。」

「老公，梵天密旨已經毀了，詛咒也會相應地消失了，你現在爲什麼還心事重重的，在想什麼？」

「妳呢？這幾天怎麼板著臉，爲什麼不高興？才剛剛結婚就這樣，是不是後悔嫁錯人了？」

「哼！」

「哈哈哈，我知道妳這丫頭就是悶不住，連個蜜月都不安心享受。」

「喂！你別老看著那戒指啊，有什麼好看的？說真的，度蜜月去哪裡不好，爲什麼偏偏來埃及，這個鳥不生蛋，雞不拉屎的地方！」

「拜託，是鳥不拉屎，雞不生蛋……」

「有區別嗎？哼，取笑我！」一聲嬌喝聲響起，隨即傳來男人的哀求聲。

「停，帶妳來埃及，是爲了做一件事！」一個男的急忙喊了起來。

那女的驚訝地看著他，怒道：「什麼事，不是說度蜜月嗎？」

「蜜月自然要度，事情還是要做，這個神秘的戒指上面似乎暗示著埃及的某個地方有某些東西，所以我才要來的。」

「真的？」那女的大喜，叫道，「快，咱們趕緊去找！說不定找到悅月姐說的那個史前怪物，我倒是要看看，他的肉和唐僧肉哪個味道更美！」

「哇！我娶了一個妖精！救命啊！」

（全書完）

活祭之 7：屍王爭霸

作　　者　通吃小墨墨
社　　長　陳維都
企劃總監　王國華
美術總監　黃聖文
文字編輯　陳奕君
出 版 者　普天出版社
台北縣汐止市康寧街 169 巷 21 號 9 樓
TEL / (02) 26921935 (代表號)
FAX / (02) 26959332
E-mail：popular.press@msa.hinet.net
http://www.popu.com.tw/
郵政劃撥 19091443 陳維都帳戶
總 經 銷　旭昇圖書有限公司
台北縣中和市中山路二段 352 號 2 樓
TEL / (02) 22451480 (代表號)
FAX / (02) 22451479
E-mail：s1686688@ms31.hinet.net
法律顧問　黃憲男律師
電腦排版　巨新電腦排版有限公司
印製裝訂　久裕印刷事業有限公司
出 版 日　2008 (民 97) 年 3 月 1 日 第 1 版 1～6 刷
ISBN◉978-986-6857-96-6 條碼 9789866857966

國家圖書館出版品預行編目資料

活祭之 7：屍王爭霸／
通吃小墨墨著. 一第 1 版. 一：台北縣, 普天
2008〔民 97〕面；公分. - (文學新樂園；17)
ISBN◉978-986-6857-96-6 (平裝)

文學新樂園

17